D1450288

HELL

LOLITA PILLE

Hell

ROMAN

GRASSET

CHAPITRE 1

Je suis une pétasse. De celles que vous ne pouvez supporter ; de la pire espèce, une pétasse du XVIᵉ, mieux habillée que la maîtresse de votre patron. Si vous êtes serveur dans un endroit «branché» ou vendeur dans une boutique de luxe, vous me souhaitez sans doute la mort, à moi, et à mes pareilles. Mais on ne tue pas la poule aux œufs d'or. Aussi mon engeance insolente perdure et prolifère-t-elle…

Je suis le symbole éclatant de la persistance du schéma marxiste, l'incarnation des Privilèges, l'effluve capiteux du Capitalisme.

En digne héritière de générations de femmes du monde, je passe plus de temps à me laquer les ongles, à me dorer la pilule au Comptoir du soleil, à rester le cul sur un fauteuil et la tête dans les mains d'Alexandre Zouari, à lécher les vitrines de la rue du Faubourg-Saint-Honoré, que vous à travailler pour subvenir à vos petits besoins.

Je suis un pur produit de la Think Pink generation, mon credo : sois belle et consomme.

Embrigadée dans le tourbillon polycéphale des

tentations ostentatoires, je suis la muse du dieu Paraître sur l'autel de qui j'immole gaiement chaque mois l'équivalent de votre salaire.

Un jour, je ferai sauter mon dressing.

Je suis française et parisienne et je n'en ai que faire, je n'appartiens qu'à une seule communauté, la très cosmopolite et très controversée Gucci Prada tribe ; le monogramme est mon emblème.

Je suis un peu caricaturale. Avouez que vous me prenez pour une sacrée conne en total look Gucci, sourire bleeching et cils papillonnants.

Vous avez tort de me sous-estimer, ce sont des armes redoutables, c'est grâce à elles que je dénicherai plus tard un mari au moins aussi riche que papa, condition sine qua non de la poursuite de mon existence si délicieusement et exclusivement futile. Car travailler n'entre pas dans la liste de mes nombreux talents. Je me ferai entretenir et voilà. Comme mère et grand-mère avant moi. Cela dit, depuis quelques décennies, la concurrence est rude sur le marché matrimonial de grand luxe. Les bons partis sont sollicités de toute part par une armada de mannequins, de secrétaires, et autres soubrettes ambitieuses dont les dents blanches rayent le parquet et qui ne reculent devant rien pour se tailler la part du lion. La part du lion = un appartement de réception rive droite + une classe A + une armoire de fringues griffées de mauvais goût + deux têtes blondes + narguer les anciennes collègues moins bien tombées.

Eh oui, Paris ouest, nous sommes tous beaux, nous sommes tous riches.

Riches, vous y croyez sans peine, vu le prix du mètre carré, si nous n'étions pas riches, nous n'habiterions pas là. Beaux, je vous sens dubitatifs. Réfléchissez un peu. Dans un monde où la promotion sociale par le cul fait rage depuis des générations, les familles laides ont été épurées à coup de mésalliances qui, unissant un gros plein de soupe et de millions à une arriviste bien foutue, ont abouti en général à la progéniture parfaite, puisque dotée du physique de maman et du compte en banque de papa. On ne gagne pas à tous les coups, certes, et pour peu que papa se fasse rouler par son homme d'affaires et que les gènes de maman n'arrivent pas à s'imposer, l'enfant peut également naître laid comme papa et pauvre comme maman. C'est ce qu'on appelle la malchance, mais je ne m'étendrai pas sur ce point. Je n'ai pas pris la plume pour vous décrire l'existence de gens pauvres et laids : primo, j'en ignore tout, secundo, ce n'est pas un sujet des plus réjouissants.

Vous savez, le monde est divisé en deux, il y a vous et puis il y a nous. C'est sibyllin, je vous l'accorde…

Je m'explique. Vous avez une famille, un job, une voiture, un appartement que vous n'avez pas fini de payer. Embouteillages, boulot, dodo, tel est votre lot si vous avez de la chance. Métro, ANPE, insomnie car problèmes d'argent pour les moins bien lotis. Votre avenir se résume à la répétition de votre présent. Vos enfants, s'ils se débrouillent, vivront peut-être dans 50 mètres carrés de plus et recouvriront de cuir les sièges de la Safrane familiale. Vous serez fiers d'eux. Ils vous amèneront les petiots en vacances dans la maison que vous achèterez dans le sud de la France une fois retraités et à bout de forces.

Vous êtes des bourgeois moyens, vous savez réparer une télé et madame fait bien la cuisine. Heureusement pour elle, sinon vous la largueriez pour la même en plus jeune, étant donné que cela fait vingt ans qu'elle vous fait le coup de la migraine. La dernière fois que vous l'avez touchée remonte au dernier match France-Italie, quand vous avez agrippé fébrilement son bras parce que la France marquait à trente sec de la fin. «Excuse-moi, chérie.»

Vous avez quelques soucis en ce moment; vous devez réparer la machine à laver, Jennifer s'est teint les cheveux en rouge et se révèle plus adepte des piercings que du catéchisme, Kevin a adopté un accent des banlieues des plus déplaisants. Tous deux sont médiocres, et laids. Ce doit être l'hérédité. Votre femme frustrée laisse intentionnellement traîner sur votre bureau des exemplaires de *Men's Health*. Vous vous surprenez à rêver de votre secrétaire en string, de votre nièce en string, de tout le monde en string. Votre vie ne vous satisfait plus.

Cela pourrait être pire. Vous pourriez habiter un trois-pièces-cuisine en banlieue, sans télé et sans lave-vaisselle. La version avec télé serait pire encore, car vos six enfants la feraient hurler en permanence, en particulier pendant les émissions de real TV.

Vous pourriez vivre dans la rue.

Vous pourriez aussi être des nôtres…

Mais qui sommes-nous?

Nous sommes tout simplement les héritiers des Domini de la Rome Antique, des Suzerains du Moyen Age, de la noblesse d'épée de la Renaissance, des grands industriels du XIXe, l'infime fraction de privilégiés qui détiennent dans leurs serres constellées de bijoux Cartier 50 % du patrimoine français.

La propriété est à l'origine de l'inégalité parmi les hommes. Nous ne nous en plaignons pas.

Nous, nous pouvons tout faire, tout avoir, puisque nous pouvons tout acheter. Nés avec une petite cuiller en argent dans nos bouches VIP, nous enfreignons gaiement toutes les règles car la loi du plus riche est toujours la meilleure.

C'est jouissif d'agiter notre abondance-décadence sous le nez de la pauvreté roide et vertueuse ; Prada festoie au siège du Parti communiste, J.-M. Messier lui-même-maître-du-monde exhibe ses chaussettes trouées, Galliano s'inspire des clochards du bois de Boulogne pour concevoir sa collection hiver 2000… Nous ne le faisons pas exprès. Y en a marre d'être des riches qui faisons les riches. Gucci sort des bracelets de force, les « fils de » se rasent le moins possible, les bonnets pullulent avenue Montaigne, Helmut Lang balance de la peinture sur un jean sale et le vend mille deux cents balles…

A deux cents à l'heure dans les rues de Paris où il ne fait pas bon traîner quand nous sommes au volant, nous mêlons l'alcool à la beu, la beu à la coke, la coke aux ecstas, les mecs baisent des putes sans capotes et jouissent ensuite dans les copines de leurs petites sœurs, qui se font de toute manière partouzer du soir au matin. Nous sommes en plein délire, emportés dans une course effrénée de gaspillage gargantuesque, de luxe luxurieux. On prend du Prozac comme vous prenez du Doliprane, on a envie de se suicider à chaque relevé bancaire, parce que c'est vraiment honteux quand on pense qu'ailleurs, il y a des enfants qui crèvent de faim, alors qu'on s'empiffre et qu'on s'en met plein le pif. Le poids de l'injustice du monde repose sur nos frêles épaules d'ex-enfants délicats. Vous, vous en êtes victimes, mais on ne peut pas vous le reprocher.

De toute façon, quoi que nous fassions, c'est honteux.

Oui, nous nous balançons le contenu de magnums de grands crus millésimés à travers la gueule sur les plages de Pampelonne. Et alors? Ce n'est pas vous qui payez la note? Et puis j'ai remarqué l'été dernier que la plage publique accolée à la Voile Rouge ne désemplissait pas. Ça sunbathait là, comme si de rien n'était, et quand une Porsche passait, même une banale Boxster (entre nous surnommée la Porsche du pauvre à cause de son prix qui n'excède pas les trois cent mille), c'était l'effervescence, ça en perdait son bob, ça lâchait son panini ou son beignet, ça coupait son walkman, les bras vous en tombaient, vous n'arriviez plus à respirer et vos oh et vos ah couvraient le bruit du moteur… Une Ferrari, et alors là, c'était l'infarctus de masse. Pas la peine de nier, j'étais dedans, je vous ai bien vus… Vos yeux brillants, vos mains tendues… vous transpiriez l'envie, vous escaladiez même la palissade mitoyenne pour entr'apercevoir un bout de string, un mauvais profil de star et respirer les effluves exquis d'un dom pérignon 85 séchant sur un maillot de bain Erès et une peau dorée de jet-setteuse… Vous auriez donné n'importe quoi pour être à notre place.

Vous vous faites du mal.

Avec hargne, vous jetez l'opprobre sur notre conduite. Vous voulez nous donner mauvaise conscience de dépenser un fric que vous ne posséderez jamais. C'est raté.

Je vous signale tout de même que nous payons des impôts, que sur douze mois d'éreintant labeur à donner des ordres aux autres, le fruit de six d'entre eux, nous n'en verrons jamais la couleur, l'Etat nous détrousse pour que vos enfants aillent à l'école. Alors laissez-nous tranquilles.

Enfin, pour l'heure, ça va pour moi. Ma seule préoccupation, c'est la tenue que je vais porter aujourd'hui. Je déjeune avec Victoria au Flandrin, et je devrais déjà y être, mais comme elle est aussi ponctuelle que moi, je peux me permettre de partir dans une demi-heure, et encore parierais-je bien mon sac Gucci que je l'attendrai dix bonnes minutes de plus.

J'ai donc trois quarts d'heure pour m'habiller, et ce n'est pas une sinécure. J'inventorie le contenu de mon dressing et de mes deux armoires. L'abondance n'est pas un cadeau, vous pouvez me croire, le problème étant la multiplicité des choix. Toutes ces fringues, et rien à me mettre. Je reste plantée au milieu de ma chambre en string, clope au bec et pleurant presque d'impuissance, ça m'ÉNERVE. Sans grande conviction, je finis par enfiler une robe Joseph rose pâle que j'ai déjà portée à Saint-Tropez le week-end de Pâques, et je mets une heure à trouver le pashmina assorti.

Mes mules Prada sont dans l'entrée, évidemment, ici, personne ne range. J'attrape le sac Gucci précité et heureusement que je viens d'acheter les toutes dernières lunettes Chloé, ce qui me remet de bonne humeur. Belle, bronzée et monogrammée, je quitte mon appartement en sautillant, le cœur léger.

Mon portable vibre.

Numéro privé.

— Oui ?

— Ça va ma chérie, t'es où ?

Ce n'est qu'une vague connaissance, et d'où se permet-il de m'appeler ma chérie ?

— Je sors de chez moi, je vais déjeuner au Flandrin avec Victoria.

— Attends, je suis dans le coin, je passe te prendre.

— OK, dépêche-toi.

Il débarque trois minutes après, fait la roue dans sa Porsche, comme d'hab, je suis au téléphone avec Victoria qui est encore dans son bain, je m'y attendais, mais je lui hurle quand même dessus pour marquer le coup. Elle est morte de rire, elle s'en fout.

Nous filons comme l'éclair avenue Henri-Martin, on pousse à 150 et on manque d'écraser un beauf…

Cinq minutes après, nous arrivons au Flandrin. La terrasse est déjà surbondée, qu'importe, s'il n'y a plus de table, les serveurs m'en inventeront une. Ah, le Flandrin…

Dans le Paris grisâtre du métro et des gens anonymes, existe quelque part un îlot de gaieté luxueux et rassurant. Havre de paix, lieu de retrouvailles, siège de notre communauté, Saint-Tropez en plein mois de septembre.

Ici, les rayons de soleil ne meurent jamais. L'un d'eux frappe les cheveux d'or de cette fille splendide au nez recouvert d'un pansement chirurgical, il change de direction pour aller caresser le pare-chocs lustré de la Bentley bleu nuit d'un vieux beau qui déjeune, il se réverbère ensuite sur les lettres dorées d'un sac Dior, et fait scintiller de mille feux le cœur en strass de mes lunettes Chloé, son éclat anime une boucle de ceinture Gucci, puis se joue dans les deux ors Chaumet d'une Libanaise qui lit *Points de vue*, il heurte mon briquet Dupont et se perd dans les bulles de ma coupe de champagne…

Victoria vient d'arriver. Elle s'installe, commande des tomates mozzarella, et commence le lynchage de toutes les personnes présentes. Voir et être vu ? Non, lyncher et se faire lyncher. Outre la qualité du service et de la cuisine (mis à part les desserts qui sont infects, comme chacun sait), le Flandrin, c'est la foire aux mondanités, c'est le rendez-vous de tout Paris, et un inépuisable champ d'action pour les mauvaises langues comme nous. Nous ne sommes pas les seules, d'ailleurs. Il faut voir ces jeunes filles en fleur et en total look saisonnier, aux cheveux mordorés, aux membres graciles, déjeuner délicatement, coudes au corps et air de ne pas y toucher…

Approchez-vous… plus près… et écoutez leurs voix rauques et véhémentes…

Regarde, elle s'est fait refaire le nez… Et Julian, c'est qui la pouffiasse avec qui il déjeune ? C'est une fille de l'Est, il l'a achetée à Vittorrio… Je savais pas que Vittorrio faisait du trafic de filles de l'Est… Comment tu crois qu'il paye les bouteilles, tu sais bien que sa famille n'a pas dix francs, il sort de nulle part, ce mec… T'as vu Cynthia, elle a un sac Chanel à douze mille… Elle sort avec Benji le fou en sous-marin, il lui paye tout… D'où il tire tout ce fric, celui-là ? Il vient d'acheter la nouvelle M3 ?… De la Bourse, mais ça va pas durer, t'en fais pas… Te retourne pas, y a l'amour de ta vie… Il est avec qui ?… Avec l'amour de *ma* vie… Ils disent bonjour à

Cynthia… Allô, ouais, ça va… Au Flandrin… nobody interesting… Tu nous rejoins… OK, bisou ma chérie… S'il vous plaît, je pourrais avoir une crème brûlée ? Merci… C'est à qui cette Ferrari ? Comment tu vas ? Assieds-toi… Marbella, je pense, j'ai un ami vénézuélien qui loue un yacht de cinquante mètres… Ou alors Bali avec mes parents, me déconnecter un peu de tout ça, c'est tellement creux… Une fortune au casino… Je peux pas le voir, ce mec… Je suis défoncée, hier, je suis passée chez Chris, on a tellement tapé… Super-mignonnes tes lunettes Chanel… Merci, je me suis acheté une Smart cab aussi… Tu sais pas avec qui j'ai baisé hier soir ?… On s'en va ?…

Dans le taxi qui me ramène chez moi, j'ai mal à la tête d'avoir trop fumé et, bizarrement, j'ai l'impression d'avoir perdu mon temps.

Qu'ai-je fait aujourd'hui ? J'ai très bien déjeuné de tomates mozzarella, d'une sole que j'ai renvoyée en cuisine une première fois pour qu'on me la prépare, et une seconde fois parce qu'elle avait refroidi pendant qu'on me la préparait, ainsi que d'une assiette de macarons trop sucrés.

J'ai invité Victoria, huit cents balles pour un déjeuner de copines, c'est honnête.

Un con nous a fait porter une bouteille de Bollinger, que nous avons vidée. Par politesse.

Se sont joints à nous Julien, David, et David, respectivement le fils d'un chanteur très connu que j'ai pécho, le fils d'un PDG très important que j'ai pécho, et le fils d'un ex-ministre que je n'ai pas pécho car il est très cheum.

J'ai dit bonjour à quarante-deux personnes ; dont six

que je ne connaissais pas et qui m'ont été présentées.

Une Ferrari Maranello immatriculée au Luxembourg a retenu mon attention. Son propriétaire ne s'est malheureusement pas manifesté.

Le fils de l'ex-ministre très cheum est parti se taper un trait dans les chiottes, et les fils du chanteur très connu et du PDG très important ont brocardé avec enjouement la mère du fils de l'ex-ministre que leurs pères respectifs avaient tous deux retournée à maintes reprises.

Coké et requinqué, le fils de l'ex-ministre, revenu des chiottes, a profité de l'éloignement du fils du chanteur très connu qui vitupérait par portable interposé contre le garage Porsche qui n'en finissait pas de réparer sa boîte de vitesses massacrée lors d'une course, perdue d'ailleurs, contre un certain Andrea sur le périph à trois heures du mat deux jours auparavant, donc, à ce moment-là, le fils de l'ex-ministre m'a appris que le chanteur très connu n'avait plus dix balles.

— Son fils roule tout de même en Porsche ?

— Signe extérieur de richesse basique, à peine plus représentatif qu'un 8210.

— Ah.

Et vous qui rêvez de notre opulence éclatante et dorée… ce n'est que du plaqué. Du fric, des bagnoles, des amis, des maisons partout, nos entrées partout… Et on n'a jamais rien à faire. Et on se crache tous à la gueule.

La vérité, c'est qu'on s'emmerde profondément parce qu'on n'a plus rien à désirer.

Le monde est trop petit, à huit ans, on en avait déjà fait dix fois le tour en business class…

CHAPITRE 2

La nuit tombe, et quand la nuit tombe Paris change de couleur et de sens.

Je suis dans un taxi qui file sur les voies sur berges et j'ai baissé la vitre pour pouvoir fumer. Dans un instant, je serai assise dans un endroit comme l'Avenue, l'hôtel Costes, la Maison Blanche, Nobu, Xu, Man Ray, Korova, chez Diep, au Market, au Tanjia, au Stresa, ou encore au Plaza, je dînerai d'un mille-feuille au crabe et d'un moelleux bien sûr, ou bien je ne dînerai pas et je boirai un Cosmo ou une simple vodka, je fumerai clope sur clope et je dirai bonjour à des gens.

Sibylle est en Courrèges des pieds à la tête et Chloé me montre son nouveau sac Dior avec transport. Toutes deux sont blondes, et intelligentes. A nous trois, nous pesons moins de cent quarante kilos.

Je les informe des derniers méfaits de B.

B, plus connu de mes amis sous le sobriquet de l'ignoble B, ou de Celui Qui Brisa Mon Cœur.

B a les yeux pleins d'étoiles et un sourire séra-phique qui dissimulent ses mauvaises intentions.

Un soir de beuverie au Queen, je finissais languissamment ma dix-septième vodka en me demandant pourquoi j'étais là, encore là, toujours là, quand soudain, au milieu des déchets, j'aperçus l'Embellie. L'embellie de cinq heures du matin.

B, bien sûr.

J'en lâchai mon verre.

Je me le fis présenter diligemment, et il y eut roulage de pelles dès le week-end suivant.

De là s'enchaîna une semaine de radieuse plénitude, chaque entrevue me révélait une nouvelle perfection chez B.

1. B était beau gosse.

2. B avait une Aston Martin DB7 Vantage...

3. B était drôle, intelligent, il avait de la conversation et ne m'emmerdait pas avec les questions existentielles habituelles du fils à papa niais en mal de réflexion : « Audemars Piguet ou Jaeger ? Audi TT ou Boxster ? Plutôt grise intérieure rouge ou noire intérieure beige ? Et comment avoir une table aux Bains pendant la Fashion Week ? Et pourquoi les jantes de la TT qui sont les plus belles sont-elles les *moins chères* ? !!! »

4. B lisait... des livres !

5. B m'a baisée, et B m'a basée.

Eh oui, pour la première et la dernière fois, je me suis laissé prendre à ce truc vieux comme le monde, et je porte en moi la douleur séculaire de la Vertu Trahie, que nous autres femmes subissons depuis des siècles, à cause de ces monstres avides de coïts sans lendemain.

Mais ce n'était qu'un prélude aux tourments que l'ignoble B allait infliger par la suite à mon cœur pur et mon ego encore intact.

Hier soir, B, sans le moindre scrupule, s'est affiché aux Bains avec un mannequin russe d'un mètre quatre-vingt-dix, aux jambes irréprochables mais à la figure veule et porcine, et le mépris a immédiatement chassé la déception car qui voudrait encore d'un mec assez con pour me préférer une idiote moche sous prétexte qu'elle me prend trois têtes et qu'elle parle en roulant les *r* comme un paysan de l'Oural ?

Apparences… Tout n'est qu'apparences…

Avec en bruit de fond, ce morceau mélancolique de Sun Trust, *How unsensitive*, je fais part à mes amies de mes réflexions amères, de l'élégance de B dans son costume gris, de l'envie qui me tenaillait la veille au soir d'aller défoncer la gueule de la vilaine pute à coups de bouteille, de mes pleurs de ce matin devant mon miroir, puis du deuil que j'avais décidé de faire de cette histoire, car mieux vaut être indifférente et digne que malheureuse et pathétique.

Arrivent le Martini de Sibylle, l'Evian de Chloé, ma vodka, deux copains de B qui me demandent hypocritement si ça va avec B, heureusement mon portable sonne à ce moment-là, et me dispense de les couvrir d'insultes, et c'est une de mes connaissances de Monaco, qui me convie à une fête dans une suite au Bristol, et je ne comprends rien à cause de son accent foireux et je ne sais pas comment je fais pour décliner sa proposition car je ne parle pas italien, puis je raccroche en prétextant que je passe sous un tunnel, Chloé raconte à Sibylle qu'en courant après un taxi avenue Gabriel, elle a failli casser son talon et Sibylle et moi demandons, angoissées : «Le talon de tes Gucci ?» Mais elle rétorque avec impatience : «Mais non, le talon de mon pied», et nous hochons la tête, rassurées, et je demande à Chloé ce qu'elle foutait avenue Gabriel car il n'y a pas de boutiques, et elle élude ma question, et je me demande si elle ne me cache pas quelque chose car B habite avenue Gabriel. Cela fait longtemps que nous ne nous sommes pas vues, aussi avons-nous beaucoup de choses à nous dire et je leur parle d'une de mes amies mannequin qu'elles détestent et qui est dans les pages people de *Gala*, et Sibylle me demande si je connais une certaine Gudrun qui fait la couverture du *Vogue* de ce mois, une traînée qui s'est fait retourner par tout Paris en trois semaines, et l'ex de Sibylle est-il du nombre oui ou non ? Puis, nous nous mettons d'accord sur le plaisir que nous prendrions à massacrer tous les mannequins qui hantent Paris VIIIe, je les rassure en leur disant que les filles de l'Est n'ont que de jolis os et qu'elles taillent plus de pipes qu'elles ne font de photos, et Chloé renchérit en affirmant qu'« ils » les baisent, mais qu'« ils » ne les épousent pas, et je dis qu'en attendant nous non plus, mais ça ne fait rire personne. Et nous ne sommes pas d'accord sur la problématique d'un scandale politique qui fait les gros titres en ce moment, alors je sors de mon sac l'article de *Paris-Match* qui traite de l'affaire incriminée pour leur prouver que j'ai raison, et Chloé téléphone au fils d'un des principaux protagonistes, qui nous révèle la vérité, et nous restons sans mot dire pendant cinq minutes tellement nous sommes choquées. Sibylle me montre le texto qu'elle a envoyé à son mec en plein milieu de la nuit, et je l'engueule car je suis contre les textos qu'on envoie à quatre heures du matin, selon moi, c'est une preuve de faiblesse, ça défile sur l'écran en majuscules :

SOUVIENS-TOI DE MOI QUAND TES ENFANTS SE DROGUERONT ET SE PROSTITUERONT. Et j'aurais plutôt suggéré : tu crèveras seul et c'est ta faute, ou encore la chanson d'Aznavour *Mais où sont passés mes vingt ans ?* sur son répondeur vocal. Puis nous décidons que nous allons lui rayer son roadster Mercedes en sortant de boîte. Nos portables sonnent en même temps. Ce sont nos amis qui nous rejoindront dans quelques minutes, juste le temps qu'on parle des filles cocues qui ont pour habitude de raser la tête de leurs rivales et une idée diabolique germe dans mon esprit mais je ne lui donne pas suite.

Moi, j'observe les gens autour de nous, avantagés par la lueur des bougies – ils seraient bien moins beaux sous les néons du métro –, l'avenue Montaigne immaculée : il y a des étrangers et la boutique Fendi, il y a des Porsche plaques monégasques et des Ferrari de toutes les couleurs, il y a des ambassades, il n'y a pas de boulangeries, et un de mes ex sur le trottoir d'en face, il y a comme un fond de musique de lounge qui flotte à la nuit tombée, et des dealers qui ressemblent à des hommes d'affaires, et de vrais hommes d'affaires, et leurs fils qui ressemblent à des dealers, et une Porsche noire immatriculée 750NLY75 passe avec lenteur, comme si elle glissait, et je me souviens tout à coup que je me fais avorter demain matin.

C'est le moment que choisit le mec pas mal de la table d'à côté pour demander à Sibylle et moi si nous faisons partie d'une agence ; nous ricanons nerveusement, puis nous prenons un air prodigieusement bête et intéressé, et nous discutons taille, poids, défilés, photos. Il finit par nous donner sa carte où figurent le logo d'une importante agence de mannequins, et un nom italien et le titre «recrutement director», alors, nous sommes toutes trois prises d'un fou rire entrecoupé de cris déments, ce qui est notre façon de rire, et Sibylle sort son portefeuille de son sac Courrèges, et une carte de visite de son portefeuille, qu'elle lui tend en souriant insolemment :

— Voici le vrai logo de l'agence de mon père, quant au directeur du recrutement, il dîne chez moi une fois par semaine. Et ce n'est pas toi.

Il reste bouche bée, l'imposteur, puis un sourire énigmatique s'élargit sur son visage et je me dis qu'il a l'air d'un béotien, d'une brute, mais qu'il n'est vraiment, vraiment pas mal, et je regarde Sibylle qui sourit aussi, mais plus de la même façon, et je comprends pourquoi Vittorrio (puisque Vittorrio il y a) ne se désarme pas et finit par demander à Sibylle si c'est son numéro de téléphone sur la carte ou celui de son père et elle répond que c'est le sien, alors il rétorque qu'il peut s'en aller et il s'en va effectivement, et tout le monde le suit des yeux quand il traverse la salle.

— Il faut se méfier des mecs qui portent des Daytona et qui distribuent des fausses cartes de visite, déclare Chloé.

— Et des filles qui traînent avenue Gabriel on ne sait pas pourquoi.

C'est ma réponse, et je la trouve cassante.

Mon portable sonne de nouveau en anonyme, je décroche. Personne ne parle à l'autre bout du fil.

Il est temps d'aller au Cabaret.

En partant, nous croisons deux ou peut-être trois amis iraniens et milliardaires qui vont dans le même endroit que nous, ils sont au large dans deux Bentley, pendant que nous nous entassons tant bien que mal à six dans une TT et une Boxster, et nous trouvons que les richesses sont bien mal réparties.

Devant la boîte, j'aperçois la voiture de B, et je me demande si je ne serais pas mieux dans mon lit à terminer *Belle du Seigneur*, ou à écouter le CD du Buddha en fumant des substances illicites.

On rentre vite, et bien, et on dégringole les escaliers. La boîte est bondée et j'ai l'impression que tout le monde porte un masque, le même masque avec deux trous pour les yeux, seul B est à visage découvert.

Pendant dix minutes, il faut dire bonjour, après je pourrai me réfugier à ma table et tourner le dos à la Souffrance en pull orange aux manches retroussées. Je déploie des trésors de stratégie pour dire bonsoir à qui de droit sans m'approcher de B, il y a les mêmes mannequins qu'hier soir aux Bains, et les mêmes bookers ou soi-disant bookers habillés n'importe comment, c'est normal, c'est Fashion Week et une idée flotte dans l'air, et obsède les gens à tel point qu'elle en est perceptible… FUCK ME I'M FAMOUS !!!!! Et c'est la première fois que j'entends les hurlements de Marilyn Manson ici, qu'importe ; tout le monde a l'air défoncé et je sais, je SAIS que toutes les filles se sont trouvées AFFREUSES, en se réveillant ce matin, et que toutes attendent un coup de fil qu'on ne leur passera jamais. Et je me demande encore une fois ce que je fais là, alors que j'aurais pu rester tranquillement chez moi regarder *Ally Mc Beal*, et puis, ça va mieux quand je me rends compte que si on demandait à toutes les personnes présentes ce qu'elles foutent là, la moitié d'entre elles fondraient en larmes sur-le-champ. L'autre moitié répondrait avec impatience : « Bah, parce que c'est Fashion Week !?! » ou encore : « Because, it's Faaaashion Weeeeek ! » mais ce sont les mannequins, il ne faut pas trop leur en demander, les pauvres elles sont crevées, elles ont défilé toute la journée, de toute façon, elles repartent à New York dans deux jours et elles ne nous emmerderont plus jusqu'à la saison prochaine.

Il fait trop chaud et tout le monde parle anglais, qu'importe, trois vodkas et quelques compliments dédaignés plus tard, rien ne compte plus. Que « qui il y a », et si la frange que je me suis fait couper chez Toni and guys ce matin à seize heures résiste à l'humidité ambiante. Et le champ de vision de B, qui englobe un peu trop notre table, et je demande à Sibylle de me signaler quand et à quelle fréquence il tourne la tête vers moi, car je voudrais

1. ne pas me réjouir pour rien

2. faire preuve d'une indifférence royale à son égard, mais en sachant tout de même si OUI OU NON il n'arrête pas de me regarder.

— Attends, il y a le mec de tout à l'heure, me dit-elle, ravie.

— Le soi-disant booker chez ton père ?

La réponse est affirmative, et il faut que nous simulions l'air complètement drogué alors que nous n'avons même pas de coke, tout ce cirque pour justifier nos quinze allers-retours aux toilettes dans le but de passer devant la table de Vittttorrio, car mademoiselle Sibylle voudrait repérer la tête des copains, et le nom sur la bouteille, et est-ce le nom de Vittttttorrio ? Pas du tout, Vittorrio n'a pas vraiment le profil du mec qui rince les bouteilles. Puis, c'est après la fille avec qui il est en train de parler qu'elle en a ; est-elle jolie ? Si oui, plus jolie qu'elle ? Ah bon, pourquoi ? Et qu'est-ce qu'il peut bien lui raconter comme ça, pendant des heures ? Mais je dis à Sibylle de ne pas s'en faire pour cette pouffiasse car s'il débat avec elle du pourcentage qu'il percevra sur ses gains faramineux quand il en aura fait un super-top model, le projet ne risque pas de se concrétiser puisque Vittorrio n'est PAS booker, et de plus elle porte un sac sans marque. Sibylle est rassérénée, je peux enfin retourner m'asseoir et surveiller B tout mon saoul. Sur ces entrefaites, il est déjà quatre heures, et Cassandre arrive de je ne sais où et me dit qu'il est temps de s'arracher de cet endroit déjà à moitié vide.

Je sors du Cabaret décoiffée, ayant envie de tout sauf de rentrer malgré l'indignation de Sibylle, Chloé, Julien, David et David qui rentrent tous chez eux, dans le XVIe, dans le VIIe, et dans le VIIIe et ne comprennent pas mon endurance : « T'en as pas marre de sortir… T'en as pas marre du Queen… T'es pas fatiguée, là ?… »

Ils ne sont pas très convaincants, et je prends le bras de Cassandre, et on s'engouffre à la dernière minute dans la Ferrari du meilleur ami de son oncle qui sort encore malgré ses cinquante ans et ses deux filles qui ont le même âge que nous, et que je n'aime pas. Jusqu'au Queen, le trajet dure moins d'une minute, compte tenu de la vélocité du véhicule, et de la proximité des boîtes entre elles.

On se gare sur les Champs, et la voiture est immatriculée 456GT75. Ce soir, c'est une soirée Ministry of Sound, paraît-il, il y a une queue de cinquante mètres devant la porte, nous ne la faisons évidemment pas. Comme d'habitude, la musique est tellement forte que les murs ont l'air de trembler, un coup d'œil dans le carré, je constate qu'« il y a tout le monde » et nous investissons le box central en quelques secondes, sur les quatre tables qui nous entourent, soixante personnes, accrochées au filet, s'écrasent et sautent, et hurlent quand se font entendre les premières notes de cette chanson géniale de Silicone Soul.

Je retrouve Victoria, déjà défoncée, qui me fait savoir qu'elle a de la coke et jette son sac sur la banquette avant de m'entraîner aux toilettes en courant. Victoria mesure un mètre quatre-vingts, sa mère est princesse et elle est dotée de la plus forte personnalité à laquelle j'aie été confrontée, elle bouscule tout le monde en hurlant qu'elle est une very important person et que les very important persons ne font pas la queue pour aller pisser, elle embrasse le mec des chiottes en lui griffant le torse, puis me pousse derrière une porte en me glissant un paquet qui doit bien contenir un gé, et je fais ce que j'ai à faire.

Je ressors, je lui rends un demi-gramme ; dans la glace, je constate que j'ai les cheveux dans les yeux et que mon khôl a débordé. Nous regagnons le carré, et je monte sur un tabouret, et je m'accroche au filet à mon tour, et je me mets à faire n'importe quoi.

A l'autre bout du Queen, un mec insignifiant fixe Cassandre avec trop d'insistance, je me rends compte que c'est un mec avec qui elle a baisé il y a un an, avant de s'installer à Londres pour ses études, je le lui dis, je le lui montre, mais il n'y a rien à faire, elle ne le reconnaît pas.

Je suis en train de me demander encore une fois ce que je fous là alors que j'aurais pu rester tranquillement chez moi à, je ne sais pas, dormir par exemple, quand soudain quelqu'un m'attrape la taille, je me retourne, et c'est A, A en personne, un sourire figé sur son visage déformé par les abus, peut-être quinze fois plus défoncé que moi, plus défoncé à lui tout seul que tout le Queen réuni. Je lui dis bonjour, je le regarde quitter le carré en titubant, j'entends maintenant la house en mode mineur. Je me rassois d'un coup, et bois ma coupe d'un trait. Cassandre me demande ce que j'ai, je l'informe de la présence de A, elle comprend sans autre explication mais elle est trop bourrée pour me consoler, et de toute façon je l'enverrais chier.

A est de retour, il est de toute évidence allé s'exploser le nez, sa table est – de loin – la plus overcrowded du Queen, et je ne parviens pas malgré tous mes efforts à distinguer sa silhouette électrisée parmi les mannequins, les crétins, les tapins qui l'entourent et le masquent ; j'en suis réduite à suivre la Reverso sur le filet. A est une épave, il se jette sur tout ce qui, portant jupon, passe à sa portée, et son visage n'exprime plus grand-chose d'humain. Il fornique littéralement sur la banquette avec une innommable banlieusarde, et je me dis qu'il est pitoyable, si pitoyable que je n'en ai plus rien à foutre de sa gueule. Pendant une seconde. Parce qu'après, A se lève et dialogue par signes avec un de ses amis, et il a ce sourire radieux qui illumine tout son visage et abaisse le coin de ses yeux, et je réalise à quel point il compte encore pour moi, et personne dans la boîte ne détache son regard du phénomène plus de deux minutes, et toutes ses ex le fixent avec un drôle d'air, et d'autres filles le matent bien qu'il tienne à peine sur ses jambes, et je comprends que A sera toujours gagnant quoi qu'il fasse, malgré ses détracteurs et ses turpitudes.

Je ne sais même pas pourquoi je viens souffrir ici.
Ce bordel institutionnel qui met l'amour en pièces.
Ici, on n'est rien pour personne.
Je ne suis rien pour lui.
Je vais aux toilettes finir la coke.

De retour dans le carré, je me dirige vers A. Je contourne les pétasses amoncelées, A est affalé sur la banquette, l'œil hagard, il tend les bras vers moi, je m'assois à ses côtés, je lui demande comment il va, je ne comprends pas sa réponse inarticulée, il balbutie qu'il faut qu'on se parle, que ça fait longtemps qu'on ne s'est pas vus, qu'on va aller chez lui taper un peu de coke, discuter, et j'ai envie de dire non, mais je ne peux pas. Nous quittons le Queen ensemble, une fois de plus.

Nous marchons côte à côte vers la station de taxi, il ne prend jamais sa voiture quand il sort, il sait qu'il ne pourra pas la conduire, et c'est moi qui indique l'itinéraire au chauffeur, auquel il tend un billet chiffonné.

L'odeur familière de son appartement, les photos partout, ses copains innombrables, des paysages lointains et de jolis visages de connes, icônes – fragments de sa vie de sybarite mondain où je n'ai pas ma place. On s'étend sur son canapé que je connais bien, il sort de sa poche des cailloux de coke empaquetés dans des feuilles OCB, les broie avec une carte de parking, et dessine une dizaine de lignes si blanches qu'on les distingue exactement malgré l'obscurité. Il en tape quelques-unes et me tend le billet de vingt livres, et je prends ce qu'il m'a laissé. Puis, il allume sa chaîne, et il met Brassens et Léo Ferré comme d'habitude, et il me regarde en chuchotant les paroles.

Toujours les mêmes professions de foi d'éternel célibat, les mêmes apologies du libertinage, tout ça pour que je comprenne… je sais déjà.

Pendant des heures, jusqu'au sommeil, je ne vais penser à rien, je vais avaler de la drogue par le nez, et de la fumée par la bouche, et ne plus avoir conscience que de son bras qui m'entoure, de son épaule sur laquelle je repose, je ne sens même plus mon corps harassé, ni ma tête qui devrait me faire mal à hurler.

Le temps n'existe plus chez A, à six heures du matin, le sablier renversé sur la tranche est inerte, immobilisé par la voix des poètes, les chansons d'un autre âge, la coke intemporelle et, sur le canapé, la fille aura toujours vingt ans.

Je regarde danser mon ombre orange sur le mur, ça pourrait être l'ombre de n'importe qui.

A fait partie de ces hommes foutus, accros aux paradis artificiels et au péché véniel, amoureux de toutes celles qu'ils n'ont pas encore eues, et qui finiront seuls.

Tout ce temps, tous ces visages, tous ces cris de jouissance, ces étreintes sans âme au petit matin, quand la nuit n'est plus, le jour n'est pas encore, ton orgasme prend fin, et tes yeux se dessillent, ta chambre n'est qu'un bordel, Baudelaire est mort et, dans tes bras, il n'y a qu'une putain…

Dans le jacuzzi, j'ai froid. Et son champagne, je ne le bois pas. Des bougies éclairent nos chairs humides, grisâtres au clair-obscur de l'aube qui s'immisce à travers les volets, sinistre mise en scène, toujours la même.

Il m'embrasse, mais j'ai les yeux ouverts et, d'ici, je distingue des cheveux blonds sur un peigne, et des emballages de capotes, vides, par terre.

Je suis lasse.

Et il me met *La vie d'artiste* de Ferré et me déclare que c'est nous, que c'est notre histoire, ses yeux vidés par les excès se plongent dans les miens et j'essaie d'y retrouver mes larmes, je ne vois rien. Ces notes lancinantes qui troublent l'aube et le silence, c'est bien notre histoire avortée, de rires oubliés, de sentiments non dits, le regret de sentir que tout est fini, et qu'on n'y peut plus rien. «Que je m'en fiche», dit Ferré, tout bas. Et A me dit qu'un jour je pourrais lui écrire cette chanson.

> *Le bonheur, on ne peut que passer à côté,*
> *Si tu m'avais aimée... Ça ne pouvait pas suffire.*
> *Et ta débauche ne leurre qu'un instant ton déses-*
> *poir caché.*
> *C'est un de ces maux qu'on ne peut pas guérir...*
> *Ce n'est pas ta faute.*

Dans le taxi qui me ramène chez moi, je regarde Paris qui défile à l'envers, et je fume une clope dont je n'avais pas envie. Le Concorde Lafayette culmine au-dessus de moi, et je me souviens de ce soir de l'hiver dernier, on attendait la séance de cinéma assis sur un banc, devant l'hôtel, emmitouflés dans ton manteau : «*On se verra toute notre vie*», c'est toi qui l'avais dit.

A chaque fois que je passe par là, je crois voir nos deux silhouettes embrassées, mais il n'y a jamais personne sur ce banc.

Le passé…

Je me revois t'attendre, patiente, rue du Faubourg-Saint-Honoré, devant chez Hermès, tu rentrais de voyage et tu voulais me voir, tu étais en retard, il était deux heures du matin, mais je n'avais pas froid.

Et quand on sillonnait Paris sur ton scooter, après ton retrait de permis, nos retrouvailles après l'été, et ce dîner à Saint-Germain où j'avais bu trop de sancerre, où je ne pouvais rien avaler.

Et toutes ces nuits à tes côtés, ton lit auquel j'étais habituée au point de pouvoir y rêver, comme dans le mien.

Et Sinatra, Pavarotti, Léo Ferré, Paris Dernière, et Baudelaire…

Maintenant je sais que tu en lis aussi aux autres, et c'est pour ça que c'est fini.

Je l'ai tellement dit, mais cette fois-ci, c'est pour de bon, tu as choisi.

Tu as préféré ta vie de con, le bonheur nous aurait ennuyés. On crèvera chacun de notre côté.

Maintenant j'entends de toute part tes histoires où je ne suis plus en vedette, tes déconvenues ou tes conquêtes, et quand je parle de nous au passé, on me rit au nez…

Parce que je dis «nous».

Ils ont raison.

Je prends conscience de la nuque du chauffeur de taxi, du bruit monotone du moteur et du crépitement de la pluie sur le toit de la voiture. Le feu passe du rouge au vert, et je suis seulement si fatiguée…

Ces rues désertes aux trottoirs mouillés, sortir, se coucher tard, tout ce monde, cette sensation de brûlure à la poitrine, les jambes cassées. J'ai du mal à respirer.

Je n'ai envie de rien, je ne sais pas quoi faire, je ne veux pas dormir, je ne veux pas rester éveillée. Je n'ai pas faim. Je ne veux pas être seule, je ne veux voir personne. J'ai l'impression d'être en sursis. Je suis juste complètement défoncée.

La vérité se fait jour avec lenteur et me laisse vide… A… même A… ce que je m'en fiche.

CHAPITRE 3

Je sors de l'hôpital, seule. Ma mère m'y a déposée ce matin, puis elle est partie à sa réunion. Je devais rester mais j'ai faussé compagnie aux infirmières. J'ai mal au ventre. J'ai rendez-vous avec Sibylle au bar du Plaza, je ne trouve pas de taxi.

Je porte un pantalon de lin noir, un col roulé noir, des Nike noires et ma veste en cuir. Mes lunettes de soleil me cachent la moitié du visage. Je ne pleure pas. Je voudrais juste trouver un taxi.

Je demande au chauffeur de s'arrêter à l'entrée de l'avenue Montaigne, j'ai envie de marcher. Je ne pense à rien. Les gens courent, pressés, et me bousculent. Je rentre dans l'hôtel, le portier me reconnaît et me sourit. Dans le hall, il y a un Saoudien qui lit un journal en arabe, je croise une connaissance, j'ai l'impression de sortir d'un mauvais rêve, aujourd'hui est un jour comme les autres.

Sibylle est déjà là, elle porte des baskets Yojhi Yamamoto pour Adidas, un manteau de vison et, aux oreilles, des cœurs Perrin. Elle lit *99 francs* derrière ses lunettes noires.

— T'es en retard, qu'est-ce que tu foutais ?

— Je me suis fait avorter.

Elle n'a pas entendu ou pas écouté, elle referme son livre d'un geste brusque et tente d'allumer une cigarette avec son Dupont qui ne marche pas.

Il faut que je prenne un Di-Antalvic, je m'empare de son verre en pensant que c'est du jus de fruit, je m'étrangle.

— Qu'est-ce que c'est ?

— Bellini martini.

Sibylle n'a pas l'habitude de se commencer à six heures du soir, je commande la même chose et lui demande ce qui ne va pas.

— Mon père, comme d'habitude.

Elle a perdu sa mère à l'âge de trois ans. Suicide. Elle vit seule avec son père, l'archétype du coureur de cinquante ans, show-off, drogué, foutu.

Sibylle enlève ses lunettes et dévoile ses yeux rougis, elle m'explique qu'elle n'en peut plus, subir les sautes d'humeur, la violence de son père, tous ces gens défoncés à l'héro dans son salon au beau milieu de la nuit, prendre son petit déjeuner avec des mannequins russes de quinze ans, les dîners en tête à tête sans rien à se dire, rentrer de l'école et trouver l'appartement vide, appeler son père sur son portable et s'entendre répondre qu'il est à Bali ou à Rio pour une semaine, rester seule des journées entières avec la bonne philippine, le yacht à Ibiza connu pour être la pire after des Baléares, les scandales étalés dans la presse.

Je ne sais pas quoi lui dire, en fait, je m'en fous complètement.

Elle continue de se lamenter en tirant nerveusement sur sa Marlboro Light américaine :

— Il m'a encore donné du fric pour aller faire les boutiques, je m'en fous de son fric, j'en ai plein mon sac, c'est pas pour ça que je vais mieux, je suis sous Prozac depuis que j'ai seize ans, je prends des médocs pour dormir, je sors tous les soirs, je bois, je tape, je fais des crises d'hystérie, je pleure, je hurle, et lui me donne du fric, du fric et encore du fric, non mais regarde !!!

Elle sort des poignées de billets de son sac et se met à pleurer.

— Va voir une assistante sociale, elle t'émancipera, tu habiteras toute seule, et tu seras débarrassée de lui.

— Les assistantes sociales, c'est pour les pauvres, balbutie-t-elle, désespérée.

Son portable sonne et rompt un silence pesant, elle renifle et décroche, la conversation ne dure que quelques secondes.

— C'était Vittorrio.

— Pardon ?

— Vittorrio, oui, il m'a appelée hier, en sortant de boîte, il était cinq heures du matin, j'étais en larmes, enfermée dans ma chambre, il y avait plein de vieux cons et de putes en train de faire une after jusque dans mes appartements, la musique à fond, du rock des seventies, papa complètement défoncé, j'ai demandé à Vittorrio de venir, j'aurais demandé à n'importe qui de venir, j'ai trouvé de la coke sur une table, on a un peu tapé, et puis on a fini par baiser. Il a été très gentil, très compréhensif, on a beaucoup parlé, de moi, de mon père, de la vie en général. Je ne regrette absolument rien, c'était bien.

Je soupire :

— Si t'es bien avec lui, alors tant mieux…

— Oh, tu sais, au départ, c'était juste pour baiser, mais finalement… Je verrai bien…

— Mais oui, dis-je, encourageante.

— Il arrive, m'annonce-t-elle, je dois te laisser.

Dehors, l'éclat du soleil m'éblouit, je dis au revoir à Sibylle et décide d'aller faire quelques boutiques. En traversant la contre-allée, je manque de me faire renverser par Vittorrio en personne, au volant d'une 993 qui ne doit certainement pas lui appartenir, et c'est le cœur serré que je vois Sibylle monter dans la voiture et celle-ci disparaître place de l'Alma dans une embardée.

Je n'y peux rien, tant pis pour elle.

Pauvre petite Sibylle, trop belle, trop riche, et dont tout le monde se fout.

Hier soir, je suis sortie, je suis allée au Cabaret et au Queen, puis je me suis coké la gueule avec A jusqu'à huit heures du matin, j'ai dormi trois heures, et je suis allée me faire avorter. Je redoutais l'après, mais l'après n'a rien de terrible, j'ai pris un verre avec une copine dépressive, et maintenant je vais faire les boutiques, aujourd'hui est un jour comme les autres.

Je traverse pour aller chez Dior, mon regard qui cherche l'horizon s'arrête place François-Ier et je pense à une histoire finie avant même d'avoir commencé, et à des bouquins de Georges Bataille prêtés, jamais rendus, à mon grand regret.

J'ai l'impression que mon reflet n'apparaît pas dans la vitrine au luxe calme et moiré. Aujourd'hui, je suis incapable de jouer mon rôle sur la scène illuminée de mon monde. Je suis chez Dior, et j'ai l'air passionné par le catalogue Accessoires, mais en réalité je tourne les pages sans les voir, et j'erre. J'erre parmi les fringues extravagantes, les sacs selle de cheval, les D, les I, les O, les R, pour reconnaître la réussite de l'échec dans cette boutique absurde, ce n'est pas difficile. L'échec est derrière la caisse, elles sont vêtues de noir et chiffrent le seuil de résistance en zéro de la carte dorée d'un homme qu'elles auraient pu épouser. Je tâte l'étoffe zébrée d'un maillot de bain qui n'aura plus aucun sens l'année prochaine, je le prends. Je marche entre les Libanaises endimanchées, je suis la farandole des prix comme le Petit Poucet ses cailloux. Sur mon bras de marbre s'entassent des cintres où s'agitent comme autant de pendus de luxueux haillons que je ne porterai pas. Je les achète quand même. Je sors de la boutique sans savoir où aller. L'avenue Montaigne rayonne d'une sérénité immaculée que je ne ressens pas. Je suis stupide, mes yeux sont ouverts mais je ne vois rien. Je fais quelques mètres. Une autre vitrine. Et mon regard tombe sur une combinaison anormalement petite. Je ne comprends pas. Je l'examine. Mon poignet ne passerait pas dans les jambes minuscules. Je continue de la fixer, hébétée. Et je constate que toute la vitrine est taillée sur le même modèle, des petits chaussons, des petites chemises, un petit manteau so smart avec des boutons siglés… Je refais surface. J'ai le souffle coupé, l'impression de m'être pris un coup de poing entre les deux yeux, une douleur atroce m'irradie tout entière, de celles qu'aucun mot, qu'aucun geste ne peut consoler et qui fait ruisseler sur mes joues ces larmes amères, ces vraies larmes dont on oublie le sens à force de les verser pour des futilités et qui pleurent le bébé que j'avais dans le ventre et qui ne naîtra jamais…

Je sanglote pitoyable, avenue Montaigne, devant chez Baby Dior. Mes mains tremblantes s'écrasent sur ma bouche, je courbe la nuque, mes jambes me soutiennent à peine, j'ai lâché mes précieux sacs de courses…

On me tend un mouchoir. Je lève la tête. Je discerne à peine l'inconnu à travers l'écran lacrymal qui brouille ma vision. Je m'essuie les yeux, je me mouche comme une bonne petite fille. Mes yeux sont maintenant capables de distinguer l'ange consolateur. Il a bel et bien un visage d'ange. Deux étincelles éclairent ses yeux frangés de cils immenses, il a un peu plus de vingt ans, il sourit :

— Ça va aller ?

Il me tend mes sacs. Dans son autre main, encore des sacs. J'avance la main.

— Non, ceux-là, ce sont les miens. Je crois qu'on se connaît, c'est pour ça que je me suis permis de venir te déranger. Je peux te raccompagner chez toi, ou te déposer à un taxi si tu n'as pas envie de subir une présence. Tu n'es pas en état de continuer tes courses.

Je secoue la tête sans mot dire, et je tourne les talons. Je m'éloigne déjà. Il y a quelques secondes, je croyais que rien ne me relèverait, mes jambes tremblent encore, je ne sais plus pourquoi, ce n'est pas le moment pour un coup de foudre.

Je marche lentement. Je sais que je ne pleurerai pas dans le taxi pour une fois. J'aime ce soleil sur ma peau, l'odeur de propre de mes cheveux, cette ambiance nonchalante et joyeuse. Je suis vorace de vivre, les épreuves courbent mais n'abattent pas. La vie continue. Au bout de quelques mètres, je me retourne en souriant, j'ai juste le temps de le voir monter dans une Porsche noire et balancer ses courses sur le siège passager, je suis aveuglée par le soleil, et je ne peux tout d'abord distinguer sa plaque, il démarre et celle-ci m'apparaît enfin et c'est 750NLY75.

Puis il disparaît dans un vrombissement… J'allume une cigarette.

Tant qu'il restera un rayon de soleil avenue Montaigne, j'aurai envie de croire au bonheur…

CHAPITRE 4

Je ne me suis pas encore présentée. Mes parents m'ont appelée Ella, et j'ai toujours haï ce prénom de petite fille sage et adulée que je ne suis pas. Pour mes amis, j'étais Elle, mais ça ne me plaisait pas plus, m'appeler comme la fille qui passe dans la rue, ou un magazine féminin ou un super-top model, ou celle qui a fait la bêtise.

Alors je me suis rebaptisée pour moi seule, et pour ceux qui comprendront.

Je m'appelle Hell; je suis prédestinée.

J'ai toujours aimé la souffrance. Je me complaisais à exacerber mes déceptions, mes réflexions amères; la communication boiteuse avec mes parents, l'incompréhension des autres enfants dans l'ensemble cruels et limités et avec qui je ne pouvais donc prétendre à aucune connivence, mise à l'écart qui se prolongea jusqu'à la fin de l'adolescence quand je compris qu'il valait mieux paraître en savoir moins que les autres et, à tout prendre, avoir l'air bête... c'est à peu près à ce moment-là que je commençai à pressentir que la vie était absurde, ce qui me fut confirmé par de nombreuses lectures, que je touchai du doigt le mal-être, que la question « à quoi bon ? » revint de plus en plus souvent et me parut intolérable, les diverses corruptions de l'être humain en qui je voulais croire, le trou noir de l'avenir qui amènerait inéluctablement la mort, et le véritable trou noir, et d'autres réflexions du même ordre contre lesquelles je ne cherchais même pas à me débattre.

Puis je me suis fait avorter.

Je n'ai rien ressenti d'abord, qu'une forme abjecte de satisfaction de voir se réaliser cette intuition que j'étais faite pour souffrir.

Et cet étonnement : je ne souffrais pas.

La prise de conscience eut lieu devant ce magasin de vêtements pour enfants, quelques heures après l'opération. J'eus le souffle coupé, l'impression qu'une gerbe d'étincelles éclataient dans ma tête…

La crise qui suivit m'effraya moi-même.

Non par sa véhémence, mais parce qu'elle était incontrôlable.

Par un paradoxe étrange, la contemplation de mes émotions m'avait mise à l'abri des souffrances que j'appellerai tangibles, parce qu'elles ont une origine définie, j'étais une machine à ressentir, pleurant quand je voulais pleurer, riant quand je voulais rire.

Mais la douleur occasionnée par la perte de cet enfant n'était pas contrôlable, et ses manifestations ne m'étaient pas intelligibles ; par exemple, ce qui me fait le plus de mal quand je pense à lui, c'est de ne pas savoir où regarder, et de regarder le ciel.

J'avais dix-sept ans à ce moment-là, quand j'ai compris que la souffrance n'était pas qu'un moyen d'échapper à la platitude, d'accéder au sublime. Pourtant, ce n'est pas cette épreuve et la douleur qu'elle me causa et me cause encore qui ont fait de moi ce que je suis.

J'ignore tout de ce désespoir hurlant contre lequel je ne peux rien.

CHAPITRE 5

Une bombe a éclaté cette nuit dans le triangle d'or. L'avenue George-V, le côté impair des Champs-Elysées et l'avenue Montaigne sont partiellement détruits, le bitume est jonché de modèles haute couture lacérés, de gravats et de corps. Paris n'est plus qu'un souvenir. Soixante-trois grands patrons, brasseurs d'affaires en vue, hommes politiques ont perdu un de leurs enfants dans la catastrophe, une partie de la famille princière d'Arabie Saoudite était descendue au Four Seasons, le ministre des Affaires étrangères dînait chez des amis rue du Boccador, la moitié des ambassades de Paris ont sauté, la France est prise de panique et paralysée, le monde entier s'inquiète et il a raison car... NOUS SOMMES TOUS MORTS DANS L'EXPLOSION.

— Bip ! Bip ! Bip !

Je sursaute. Ma main émerge des draps et se referme sur ce foutu sans-fil :

— JE DORS ! hurlai-je avant de raccrocher violemment.

Dix minutes plus tard, j'émerge. C'est-à-dire que je me remets à penser distinctement. Ce soir c'est dimanche, et je hais les dimanches. Je dis ce soir, et pas aujourd'hui, parce qu'il est déjà cinq heures de l'après-midi, que je viens de me réveiller et qu'il fait NUIT puisqu'on est en novembre, le mois où les journées finissent avant que la mienne commence. J'ai donc perdu une journée de ma vie, ça m'énerve, en plus, le dimanche, il n'y a rien à faire, et en novembre il fait FROID, ça y est, je suis de mauvaise humeur.

J'essaie de me lever, tentative infructueuse, toutes les parties de mon corps se liguent pour demander grâce. Hier soir, je me suis laissé embarquer dans une after pathétique après la Maison Blanche et je suis rentrée chez moi à huit heures du matin. Là, j'ai fait tomber l'espèce de potiche monstrueuse qui gâchait mon entrée et qui ne la gâche plus puisqu'elle est en mille morceaux, le hic, c'est qu'elle coûtait très cher et tout ce boucan a réveillé mes parents qui ont hurlé à cause de l'heure, les yeux défoncés, la potiche et je leur ai dit qu'on en parlerait demain, puis je suis allée dormir car j'en avais grand besoin.

J'appelle donc la ligne parentale en identité masquée pour vérifier s'ils sont là et si oui ou non il va y avoir diatribe, mais ça sonne douze coups et je tombe sur leur répondeur à la con. Je n'ai plus qu'à me doucher et m'habiller en speed, puis à m'éclipser avant qu'ils ne rentrent et qu'un drame éclate.

Il est huit heures, je suis enfin prête et j'ai de la chance, beaucoup de chance qu'ils ne soient pas encore arrivés. Je porte un jean Guess, des bottes Prada, un pull noir sur lequel est écrit «GLAMOUR» en cristaux Swarowski et ma veste en cuir, je ne suis pas maquillée, je n'ai pas eu le temps et je file dans le couloir car le taxi m'attend en bas depuis dix minutes.

Ce soir, on dîne au Coffee et le rendez-vous était fixé pour huit heures.

J'entre dans le restaurant, je suis la dernière et Victoria, Lydie, Laetitia, Chloé, Sibylle, Cassandre et Charlotte se mettent à gueuler en même temps parce qu'elles m'attendent depuis une demi-heure, et qu'elles ont faim, elles m'ont déjà commandé un club et si je ne suis pas contente c'est la même chose, je n'ai qu'à arriver à l'heure, merde.

Je m'installe en mentant, mes parents auraient tenté de me séquestrer pour me punir de briser les potiches, mais je me suis échappée par la fenêtre en me fabriquant une corde avec mes draps noués bout à bout.

Personne ne me croit et, de toute façon, un grand silence se fait car le serveur vient d'apporter les plats, et je constate que Chloé est habillée exactement comme moi, avec le même haut «GLAMOUR», ce qui m'exaspère, heureusement elle porte une pochette Vuitton monogrammée, alors que la mienne est en cuir-épi.

La voix de Cassandre m'arrache à ces méditations élevées, la bouche pleine de crostini, elle raconte aux filles l'after mémorable qu'elles ont ratée hier soir. Nous avons atterri à quatre heures du mat chez un ami de son oncle, décorateur très en vue, qui fêtait son anniversaire dans son splendide penthouse de l'avenue George-V, la soirée avait commencé à dix heures du soir et, quand nous sommes arrivées, cinquante personnes bourrées et défoncées déambulaient dans l'appart une bouteille à la main et cassaient tout, le célèbre décorateur en tête. Ivre mort, celui-ci n'arrêtait pas de hurler : « Il ne faut pas construire, il faut détruire ! »

— Puis on a retrouvé Benji le fou sans Cynthia, ton père, Sibylle, avec Vittorrio, Chris, A, et ce New-Yorkais de trente-cinq ans super-beau gosse, Julian. Ils étaient dans un état… On s'est isolés dans un des salons et Julian a mis deux grammes sur la table. Ils ont tapé quelques lignes, puis Hell s'est levée et a soufflé sur la coke en gueulant que c'était pas bien, et en deux secondes il ne restait plus rien. Tout le monde voulait la tuer mais ton père s'est interposé, Sibylle, et personne n'a plus rien dit pendant que Hell hurlait de rire sur le canapé, puis elle s'est redressée, et elle a fait son procès à tout le monde, elle a traité Vittorrio d'embrouilleur et de gros beauf, elle a dit à Benji qu'il finirait à Sainte-Anne, que sa meuf était une pute et qu'elle avait taillé sa première pipe pour dix mille à l'âge de quatorze ans, à Chris qu'il allait crever d'une overdose, à Julian que tout Paris savait qu'il avait acheté sa gonzesse, et qu'ils étaient tous grotesques, à vingt-cinq ans, avec leurs vestes en cuir et leurs lunettes teintées, à sortir tous les soirs, et elle répétait « vacuité, vacuité » et « vous crèverez seuls, tous autant que vous êtes », ton père nous a emmenées, Sibylle, et nous a raccompagnées.

— C'est avec mon père que vous faites vos afters, maintenant ?

— Non Sibylle, dis-je, pas avec ton père, avec ton père et ton mec.

Sibylle se renfrogne et n'a rien à répondre.

Puis Cassandre demande à Sibylle ce qu'elle fout

avec Vittorrio, ce sale gigolo qui la plumera jusqu'au dernier sou.

— Arrête, l'interrompt Victoria, il ne lui a rien volé…

— Merci, Victoria.

— Laisse-moi finir, Sib, il ne t'a rien volé pour l'instant, ni argent, ni télé, ni tableau, il se contente de se faire inviter à dîner quatre fois par semaine, de conduire le ML de ton père et tu ne lui as offert qu'une affreuse veste Dolce & Gabanna qui t'a coûté la bagatelle de vingt mille francs.

— C'était son anniversaire.

— Et alors, rétorqué-je, on se connaît depuis dix ans et tu ne m'as jamais fait de cadeau à vingt mille, je le prends très mal.

— Il court après ton oseille, Sib, intervient Chloé, c'est classique, pas dix balles et des goûts de luxe, t'as vu sa montre ?

— A ce propos, regardez ma nouvelle Boucheron, dit Lydie la bouffonne, mais personne ne l'écoute.

— J'ai un scoop, reprend Cassandre, vous savez qui la lui a offert, son horrible Daytona pleine de diams, Gabrielle di Sanseverini !

— Je sais, dit Sibylle, il est sorti avec elle, mais il l'a quittée parce qu'elle l'a beaucoup déçu.

— Y a de quoi être déçu, une montre à cent plaques.

— C'est pas possible, elle a des prix chez Rolex ?

— C'était un cadeau d'adieu ?

— Tu fais pas le poids à côté, avec ta pauvre veste à vingt mille.

— Arrêtez de me saouler, éclate Sibylle, moi, en attendant, j'ai un mec !

— Excuse-moi, j'en suis pas encore à payer les mecs, repartit Victoria.

— Et d'ailleurs, continue Sibylle qui commence à s'énerver franchement, je préfère dépenser des fortunes pour Vittorrio que de courir après des cinglés comme Hell, ou d'être une pauvre nympho comme toi, Lydie, quant à toi, Cassandre, tu fais la maligne, mais parlons-en des Sanseverini, parce qu'il y a Gabrielle qui offre des Rolex à tout va, mais il y a aussi son frère, Andrea, qui t'a baisée puis t'a jetée comme une pute !

— C'est quoi cette histoire, Cassandre, demandé-je, tu ne m'en as jamais parlé de cet Andrea ? Je ne savais pas que Gabrielle avait un frère ?

Elles me dévisagent, toutes, incrédules :

— Tu ne connais pas Andrea di Sanseverini ?

Ça sort de leurs sept bouches comme un seul cri.

— Et voilà, Hell, dit Victoria sur un ton navré, à force de sortir tous les soirs et de ne fréquenter que des sales mecs de boîte, tu n'es plus au courant de rien, tu ne connais que ton Cabaret, ton Queen, tes vieux dégueulasses «qui t'amusent», A, B et tous tes copains drogués. Andrea, c'est juste le mec le plus beau et le plus frais du XVIe, le mec dont rêvent toutes les petites connes, que personne n'a eu et que personne n'aura jamais.

— Mais pourquoi ?

— Parce qu'il est taré, me répond Victoria, encore plus taré que toi. J'ai entendu des histoires démentes sur son compte, des gonzesses à qui il a fait des trucs incroyables…

— Raconte.

— Un soir en boîte, il attrape Cynthia, il la raccompagne, il monte chez elle et il ne la touche même pas. Elle ne comprend pas, va prendre une douche, lui demande de la rejoindre, il refuse, elle sort de la douche à poil, elle se jette sur lui, elle essaye de le déshabiller, rien à faire, au bout d'une heure, il lui dit qu'il doit y aller et il la laisse en plan. Il la rappelle le lendemain et lui dit qu'en fait, elle lui a fait perdre ses moyens, qu'il la kiffe et qu'il veut dîner avec elle. Il lui donne rendez-vous au Barfly, à l'époque, ça venait d'ouvrir et, pour ne pas aller la chercher, lui dit qu'il a cassé sa Porsche. Résultat : il n'est même pas venu, il dînait au Stresa avec tous ses copains pendant que la pauvre fille était comme une conne. Elle l'a attendu jusqu'à minuit puis elle est allée voir au Bash s'il y était. Il y était, bien entendu, et elle s'est mise à lui hurler dessus. Lui faisait semblant de ne pas la voir, de ne pas la connaître et ce soir-là, devant elle, il a attrapé Tatiana Roumanov et s'est barré avec. La pauvre Cynthia les a poursuivis jusque devant la boîte, en larmes, et elle suppliait Andrea de lui expliquer pourquoi il faisait tout ça, il paraît qu'elle s'est carrément accrochée à la portière de la voiture et qu'elle est tombée par terre quand il a démarré.

— Le salaud !

Je n'en reviens pas. J'adore.

— Mais ce n'est pas fini, reprend Victoria, dans la voiture, il explique à Tatiana qu'il est sous Prozac, donc qu'il a des problèmes de libido et qu'il a besoin d'un certain contexte pour réussir à bander. Cette salope de Tatiana lui promet de faire tout ce qu'il voudra pourvu qu'il la saute, Andrea l'emmène donc aux Chandelles, ils descendent dans les salons, il la motive, il lui file un peu de coke, et il lui explique qu'elle doit y aller avant lui, qu'il faut qu'il mate un peu pour réussir à bander, il la lâche en pleine partouze, puis il se casse et retourne au Bash. La fille est devenue folle.

Tatiana Roumanov est une espèce de bombe atomique refaite de partout, elle roule en Porsche et s'habille exclusivement chez Galliano. Je la déteste.

— Eh, dit Chloé, et la fille qu'il a laissée menottée au radiateur pendant tout un week-end, c'était qui ?

— Quoi ! m'exclamé-je.

— C'était Isolde, la sœur de Chris, elle était folle de lui et disait qu'elle était prête à tout pour baiser avec lui. Alors un soir, il l'appelle, il lui dit de venir chez lui, il la pécho puis il lui dit qu'il ne la baisera que menottée au radiateur, elle finit par accepter, il l'attache, puis il se rend compte qu'il n'a plus de clopes, alors il part au drugstore et, en chemin, il rencontre un de ses potes qui partait à Deauville.

— Et ?

— Il est parti à Deauville, il y a passé le week-end. Isolde est restée menottée au radiateur, à poil, pendant deux jours, sans rien manger, c'est la Philippine qui l'a trouvée le lundi matin.

— Elle n'a pas porté plainte ?

— Non, c'est ça le pire, elle était amoureuse de lui, elle n'a pas voulu porter plainte.

— Et Chris ?

— Chris voulait le tuer, il l'a coincé place Vendôme, devant chez Fred et c'est Andrea qui lui a cassé la gueule.

— Mais pourquoi il fait ça ?

— J'étais à Fidès avec lui, intervient Laetitia, et un

jour il m'a dit, je cite : Je n'aime personne et je ne fous rien, je ne veux pas tenter de me distraire, ou de m'occulter la vérité, la vie est une saloperie, et chaque seconde de lucidité est un supplice.

Je souris.

— Et toi Cassandre, qu'est-ce qu'il t'a fait ? En fait, tu peux t'estimer heureuse qu'il t'ait baisée, ce n'est pas donné à tout le monde.

— Je refuse de parler de ce connard. Je lui souhaite la mort, je le déteste.

Puis elle a dévié la conversation, nous avons comparé le « cling » de nos Dupont, nous avons débattu de la mode des bas résilles, qui selon Charlotte était complètement has-been, ce qui a désespéré Laetitia qui venait d'acheter les Wolford à mailles larges, et quelle montre valait-il mieux se faire offrir par nos parents pour nos vingt ans ? La fourrure, signe extérieur de cruauté, ne devait se porter qu'avec un dégoûtant yorkshire, plus personne n'allait à Gstaad et un nouvel hôtel, décoré par Andrée Putman, venait d'ouvrir rue Pierre-Charron.

— Bon, qu'est-ce qu'on fait ? s'impatiente Victoria.

Nous avons fini de dîner depuis une demi-heure, et nous avons vidé trois bouteilles de rosé, il est temps de décider ce que nous allons faire ce soir, la moitié d'entre nous penche pour le cinéma, l'autre irait plutôt prendre un verre. Après dix minutes de chamailleries sans résultat, Victoria décrète qu'on ira au cinéma, PUIS prendre un verre, et personne ne moufte.

On s'entasse à huit dans le ML du père de Sibylle, immatriculé CRY 75, qu'elle conduit sans permis, et on remonte l'avenue Victor-Hugo, *Bel Amour* à fond, en chantant et hurlant, nous allons voir *Un automne à New York* et Sibylle gare la voiture sur les Champs.

Il y a dix mètres de queue, mais nous avons pris les places par téléphone, il ne nous reste plus qu'à passer devant tout le monde et à payer par carte. Quand nous arrivons dans la salle, c'est la fin des pubs, la lumière se rallume, et tout le monde se retourne en criant «chut» car nous faisons beaucoup de bruit.

Au moment où nous prenons place, Cassandre me montre une rangée tout au fond en pouffant de rire, je me retourne et j'aperçois A, avec une blonde pas terrible, Benji le fou, la pauvre Cynthia, Julian, Chris, et toute la bande qui me regardent de travers et comme pétrifiés, excepté A, qui n'a aucune raison de m'en vouloir. Je lui fais un signe de la main et lui demande comment ça va, il sourit.

Puis des appels fusent de toute part, des connaissances se lèvent et viennent dire bonjour, et ceux qui ne se lèvent pas nous téléphonent, nous sommes en R3, Cassandre s'embrouille avec son ex, Victoria jette des pop-corn sur une fille qu'elle n'aime pas, nous terrifions les profanes (profanes : ne sont pas de notre monde, ne comprennent pas que, dans un cinéma, salle de spectacle où l'on projette des films cinématographiques à des fins divertissantes et non sociales, une trentaine de personnes puissent se connaître. Ils ne comprennent rien à notre social, ils ignorent que Dieu est Social, il ne fallait pas aller au cinéma sur les Champs), ils se lèvent à leur tour, crient «chut», et «bande de petits cons», se rassoient, puis l'effervescence retombe et chacun regagne sa place.

— Plus jamais, le cinéma le dimanche, dis-je à Victoria, qui acquiesce, et nous constatons que le film a commencé depuis au moins cinq minutes.

Minuit et demi, je sors du cinéma en me jetant sur une cigarette, le film était un abominable navet, nous sommes toutes d'accord, à part Lydie, qui a adoré. C'est normal, c'est une conne. Personne n'a envie de dormir et nous décidons d'aller prendre un verre au Pershing Hall, cet hôtel qui vient d'ouvrir rue Pierre-Charron, bien que les Champs déserts nous dépriment.

C'est alors que Cassandre éclate de rire, prend mon bras, se met à chanter et m'entraîne dans son délire, le contrecoup des trois bouteilles de vin sans doute, je la suis je ne sais pourquoi, et nous virevoltons grotesquement sur le trottoir devant le cinéma quand soudain une Porsche noire surgit de la rue du Colisée et manque de nous renverser, elle est immatriculée 750NLY75, et mon cœur se met à battre sourdement. La voiture freine dans un bruit d'enfer et recule, la vitre s'abaisse lentement et un ange apparaît.

— Décidément, je te vois toujours dans des états… Je te ramène ?

Je ne fais ni une, ni deux, je m'empare de la poignée, je m'engouffre dans la voiture et nous filons sur les Champs à une allure certainement illégale.

— Je ne sais même pas comment tu t'appelles.

— Comme tu veux…

— Ça commence bien.

— Tu préfères pas savoir où j'habite, je croyais que tu me ramenais ?

Il arrête la voiture, coupe le moteur et se tourne vers moi.

— Comment-tu-t'appelles ?

— Je m'appelle Hell.

— Comme l'enfer ?

— Exactement, absolument.

Il redémarre.

— Andrea.

— Pardon ?

— Tu as très bien entendu.

Tout s'éclaire soudainement, le visage livide de Cassandre quand je suis montée dans la voiture, l'impression au dîner que cet Andrea, avec ses discours nihilistes et son inégalable perversité ne m'était pas totalement inconnu – le contraire aurait été étonnant dans le monde où nous vivons – et l'exaltation que j'ai ressentie deux mois auparavant, avenue Montaigne, alors que je venais de subir le pire, cette exaltation que la culpabilité m'avait fait réprimer, au point de rayer de ma mémoire cette rencontre, et qui ressurgit avec violence, cette exaltation en parfait accord avec ce que semble inspirer le personnage qu'on m'a décrit.

— J'ai mauvaise réputation, pas vrai ? dit-il.

Depuis une minute, depuis, en fait, qu'il m'a révélé qui il était, j'ai les yeux dans le vague et je ne dis rien.

— Si tu savais, réponds-je.

Il ne le dit pas tout de suite, il attend quelques secondes, puis se tourne vers moi en souriant à peine :

— Toi aussi.

Puis il me demande si j'ai faim et, à ma réponse négative, il m'explique l'extrême pudeur qui tempère son indubitable envie de rester en ma compagnie, aller vers les autres est tabou dans notre société, et il faut dissimuler les penchants les plus désintéressés sous d'égoïstes prétextes ou, encore mieux, de noirs desseins pour ne pas passer pour un con : me faire croire qu'il cherche seulement quelqu'un, n'importe qui pour l'accompagner dîner, ou pire qu'il avait envie de baiser, que je me suis trouvée là, et que j'ai fait l'affaire, tout, plutôt qu'avouer qu'il est attiré, intrigué par moi, que ça fait deux mois qu'il ne peut s'empêcher de penser nuit et jour à cette rencontre éclair devant chez Baby Dior, et que c'est providentiel de m'avoir trouvée là, dans cette rue noire, un dimanche à minuit, et de m'avoir enlevée. Puis il ajoute que je ne peux être sûre de rien de ce qu'il dit, que c'est à moi de choisir, et je le regarde dans les yeux en disant que je meurs de faim.

Il récupère l'avenue Pierre-Ier-de-Serbie et se gare devant une lourde porte en bois sculpté. Un videur, grand escogriffe l'air mal luné, passe la tête. Andrea doit être un habitué des lieux car Cerbère esquisse presque un sourire à sa vue.

Il nous fait entrer. Un bouge, un misérable troquet. Une pièce minuscule, basse de plafond, où sont disséminés quelques mafieux de bas étage, flanqués de putes déchues. J'ai le vague sentiment d'être dans une isba ; les boiseries, les meubles slaves. Si je ressors d'ici, je me retrouverai dans une forêt de l'Oural, entre une meute de loups et deux évadés des mines de Sibérie. Nous prenons place, je dévisage les personnes présentes. Des cas sociaux. Les hommes ont le visage figé en un rictus amer. Un gros à bajoues, deux putes mal blondies, les seins dans l'assiette, me fixent, hébétés. L'une vieille, marquée

par la mauvaise vie, abîmée. L'autre a l'air si jeune…
La mère et la fille ? La maquerelle et sa victime ?

La musique est sinistre. Devant les cuisines, deux voyous sans âge se disputent une liasse tachée de billets étrangers et s'insultent en yougoslave. Le film de deuxième zone. Je commande un carpaccio et des clopes. Il se fait apporter une bouteille de vodka. Tentative de se mettre dans l'ambiance ? Je croyais qu'il avait faim. Je ne comprends pas pourquoi il m'a emmenée là. Ça pue la décadence. Je touche à peine à mon carpaccio, et mes bonnes manières détonnent.

La musique s'arrête. Que se passe-t-il encore ? Un règlement de comptes, une partouze générale ? Je lève le nez de mon assiette. Au centre de la pièce, un affreux rital, muni d'une guitare à douze cordes, tend la main au jeune tapin qui rougit. Elle se lève, il plaque quelques accords, un violoniste surgi de nulle part lui fait écho, un autre… Et j'entends la voix de la pute. C'est une chanson que je connais, une chanson russe, magnifique. La pute et le rital sont en complète osmose, et leurs deux chants mêlés ont des accents d'infini. Le lieu m'apparaît soudain complètement différent. Andrea me sert et me ressert. Je suis pénétrée par la beauté inattendue du duo de ces deux paumés, je frissonne. Tout, jusqu'aux chaises vermoulues, prend un sens nouveau.

La chanson se termine, mon regard illuminé croise celui du rital. Il s'approche de moi.

— Vous chantez, mademoiselle ?

Je décline la proposition. Il insiste. Les autres musiciens s'y mettent, Andrea s'y met, tout le monde s'y met. Je suis coincée. Je me lève comme dans un rêve absurde, je m'empare du micro. On me demande si je suis française, on me propose des titres, le seul que je connaisse est de Léo Ferré.

La lumière vacillante d'un projecteur vétuste se braque sur moi. Le silence s'est fait. Je suis le point de mire. Je contracte mes épaules nues, je tremble. La grandiloquence désuète de cette chanson si vraie et mon ivresse juvénile s'accordent à la perfection. Je titube sur mes bottes Prada. Je me balance d'une jambe à l'autre. J'entonne le couplet :

— *Avec le temps... avec le temps va, tout s'en va...*

Je me compose un air languissant, ma voix prend des inflexions mélodramatiques.

— *Avec le temps...*

Je regarde Andrea.

— *Tout s'évanouit...*

Il me fixe, et son regard me bouleverse.

J'ai réussi à m'emparer des clefs de l'atmosphère occulte de cet endroit peuplé d'esthètes déchus. Je suis une des leurs à présent.

— *Avec le temps... on n'aime plus.*

C'est fini. On m'applaudit. Je salue en souriant. Un sourire moqueur. A ma propre adresse.

Je me rassois au côté d'Andrea, il me sert une vodka. Aux tables voisines fusent des compliments. Ces gens que je ne regarderais même pas si je les croisais dans la rue. Je souris encore, avec reconnaissance.

Et le défilé se poursuit. Moi, je discute avec Andrea, et je ne comprends pas le rapport entre lui et ces horreurs que Victoria m'a racontées.

On parle des restaurants qu'on préfère à New York, de déco, il me dit qu'il aime Paris, qu'il ne pourrait pas habiter ailleurs, qu'il a vécu à Londres, à New

York, mais qu'il n'aime que Paris, à cause de ce passé sulfureux qui émane des murs et qui flotte dans les rues, à cause de la lumière des réverbères sur les trottoirs humides, et des visages tristes derrière les vitres des cafés.

D'où sa plaque d'immatriculation, m'explique-t-il ; Paris, seulement Paris, à bas la province et les banlieues de beaufs, il n'y a que nous qui en valons la peine.

Je l'interromps et lui demande pourquoi il fait toutes ces misères aux filles, s'il est pédé, impuissant, s'il a des problèmes avec sa maman.

Il rigole et me dit que je suis une sacrée pétasse, je lui demande si je dois le prendre comme un compliment. Il répond que oui, car lui-même se considère comme un petit con, se revendique même en tant que petit con, ce qui est, d'après lui, l'alter ego masculin de la pétasse, de celle que je suis en tout cas, ou plutôt que je joue.

Je lui demande alors comment il définirait un petit con, il me répond qu'être un petit con c'est chercher par tous les moyens à exaspérer les gens ; occupation dont il fait un art de vivre. Puis il se met à m'expliquer que le vaste monde est composé à 99 % d'imbéciles, d'imbéciles qui se prennent au sérieux, gonflés de suffisance et d'égoïsme dissimulés, que lui n'aime rien tant que de faire chier les imbéciles, les mystifier. Je l'interroge sur les moyens qu'il emploie ; il suffit, dit-il, de pas se prendre au sérieux, d'afficher un je-m'en-foutisme à toute épreuve, de tourner en dérision les Valeurs telles que l'argent, le statut social, le politiquement correct, il faut creuser les sujets tabous, affirmer tout ce qu'on cache, tout ce que les autres cachent, n'avoir honte de rien.

— Et j'aime persécuter des connes, toutes ces gonzesses inutiles qui croient que tout leur est dû parce qu'elles sont mignonnes, je ne fais que leur faire comprendre que le monde ne tourne pas autour d'elles.

Je suis sous le charme, j'ai l'impression de m'entendre. Jamais ressenti une empathie pareille avec qui que ce soit. Autour de nous, la salle s'est vidée, plus personne ne chante, je redoute le moment où il faudra partir et Andrea se penche vers moi, et je n'ai qu'une envie, c'est de me laisser aller… J'ai un mouvement de recul, mon instinct, l'instinct d'envoyer chier tout le monde prend le dessus, je me dérobe, attrape mon sac :

— Faut que j'y aille, merci pour le dîner.

Il se décontenance à peine. Il sourit :

— Je t'en prie, à bientôt.

Je sors de la Calavados, j'inspire une longue bouffée d'air et j'exhale un mince nuage de fumée grise… Je marche vers l'avenue George-V pour attraper un taxi. Je m'arrête devant sa voiture… 750NLY75, ça me fait sourire. Et je me mets à danser dans la rue, à sautiller, je n'ai pas froid, j'ai le cœur qui bat à cent à l'heure et ça ne m'est jamais arrivé.

CHAPITRE 6

Désillusionnée avant l'âge, je dégueule sur la facticité des sentiments.

Ce qu'on nomme l'amour n'est que l'alibi rassurant de l'union d'un pervers et d'une pute, que le voile rose qui couvre la face effrayante de l'inéluctable Solitude.

Je me suis caparaçonnée de cynisme, mon cœur est châtré, je fuis l'affreuse Dépendance, la moquerie du Leurre universel ; Eros planque une faux dans son carquois.

L'amour, c'est tout ce qu'on a trouvé pour aliéner la déprime post-coïtum, pour justifier la fornication, pour consolider l'orgasme. C'est la quintessence du Beau, du Bien, du Vrai, qui refaçonne votre sale gueule, qui sublime votre existence mesquine.

Eh bien moi, je refuse.

Je pratique et je prône l'hédonisme mondain, il m'épargne. Il m'épargne les euphories grotesques du premier baiser, du premier coup de fil, écouter douze fois un simple message, prendre un café, un verre : les souvenirs d'enfance, les amis communs, les vacances sur la Côte, puis un dîner : les auteurs préférés, le mal de vivre, pourquoi sortir tous les soirs, la première nuit, suivie de beaucoup d'autres, ne plus rien avoir à se dire, baiser pour combler les blancs, ne même plus avoir envie de baiser, se détacher, rester ensemble quand même, s'engueuler, se réconcilier tout en sachant que c'est mort au fond, aller baiser ailleurs, et puis plus rien.

Souffrir...

CHAPITRE 7

Encore un réveil difficile. Pendant dix minutes, je maudis toutes ces nuits blanches, ces verres superflus, ces cigarettes dont je n'avais pas envie, ces lignes de coke qui n'ont servi à rien, et je prends la résolution de ne plus jamais sortir, arrêter de boire, de fumer, me coucher tôt, ne plus manger que des sushis et des fruits frais.

J'allume une clope et la chaîne, j'ai encore les yeux fermés. Et soudain, le pire me revient en mémoire.

Je déjeune avec mes parents dans une heure. Pourquoi moi, et pourquoi aujourd'hui ? Il faut se traîner jusqu'à la salle de bains et prendre une douche chaude qui ne soulage absolument pas mon mal de crâne, boire un verre d'eau, prendre trois Di-Antalvic, mettre un CD de Bob Sinclar pour me secouer (inefficace), et tout faire pour avoir l'air présentable car déjeune quand même avec détenteur des cordons de la bourse et compte lui annoncer prolongation année sabbatique 2000-2001.

Séchage de cheveux, produits Nickel lendemains de fête, vain étalage de Terracotta, après minutieux examen dans armoire à glace exposée fenêtre, décide de garder lunettes noires pendant tout déjeuner.

Et merde, aujourd'hui, emploi du temps *très* chargé : avais pris rendez-vous chez Carita pour épilation, soin du visage, manucure, voulais faire des UV et avais promis à Sibylle de l'accompagner acheter de la coke car elle a peur d'aller voir son dealer toute seule. Appeler Carita avec voix mourante et annuler, filtrer Sibylle jusqu'à demain.

Quant aux UV, on verra. Si j'ai la force.

J'enfile un jean Chloé délavé, des Nike argentées, un pull en maille blanc Paule Ka et mes lunettes Gucci, je prends mon cabas Vuitton monogrammé dans lequel je glisse des médocs, *Voici*, du maquillage, mon agenda et mon étui à lunettes, puis je pars en courant car j'ai trois quarts d'heure de retard.

Chope taxi et vole comme l'éclair jusqu'au Murat où attendent parents sans doute déjà tendus.

— On vient d'arriver… vu qu'on t'avait donné rendez-vous à une heure, on s'est dit qu'en arrivant à deux heures moins le quart, on aurait le plaisir de ne t'attendre que dix minutes.

Je m'écroule plus que je ne m'assois. Je ne suis pas en état de repartir dignement à ce genre de remarques, mon esprit vogue de l'avenue Montaigne à la Calavados, et je scrute les plaques d'immatriculation des Porsche noires à travers la vitre…

— … commencer cette année un peu sérieusement, tu as déjà eu six mois de vacances, c'est trois mois de trop, n'oublie pas que ton avenir se joue et tu peux enlever tes lunettes de soleil quand je te parle ?

Je secoue négativement la tête.

On vient prendre la commande et je demande des cigarettes, l'idée seule de manger me donne envie de vomir mais, si je ne prends rien, ma mère va encore croire que je suis anorexique.

Je commande une soupe de crevettes coco citronnelle puis j'explique à mon père que je ne compte décidément rien faire cette année, que le bac ça m'a crevée, que je me ferais virer de n'importe quelle école à cause de l'absentéisme, et qu'en fac je ne foutrais rien car il n'y a aucun encadrement et trop de beaufs, que le système scolaire ne me convient pas, qu'aucun système ne me convient en fait, et qu'il faut que j'expérimente ce que c'est que le néant de ne rien foutre pour avoir réellement envie d'activité, ce qui s'avérera bénéfique à long terme et que rien, rien ne me fera changer d'avis.

Mon père est atterré, il proteste. Qu'il proteste.

Je ne touche pas à mon assiette, ce qui alarme maman, et ce que je redoutais a lieu, elle part en live :

— Tu ne manges rien, tu es malade ? Tu n'arrêtes pas de renifler, tu dois être enrhumée, tu devrais aller chez le médecin, tu veux que je te prenne rendez-vous ? Remarque, avec la vie que tu mènes, ce n'est pas d'un médecin dont tu as besoin, c'est qu'on t'interdise de sortir, non mais tu as vu tes cernes, tu maigris à vue d'œil, tu es toujours dans les vaps, tu n'es pas anorexique, j'espère ?

— Non, c'est la drogue.

— Tu te trouves drôle ?

J'allume une quatrième clope et je bois un grand verre d'eau, j'ai mal à la gorge.

C'est à ce moment que je remarque que nous sommes assis à une table de quatre, il y a une chaise vacante à côté de moi. A qui est destinée cette chaise ?!??

Je crains le pire, et le pire se produit, Catherine entre dans le restau, tend son Burberry's à l'hôtesse. Catherine est la meilleure amie de ma mère, et la haine que je lui voue est largement proportionnelle à l'affection injustifiée que lui porte maman ; Amanda Woodward sur le retour qui n'a pas compris que le style executive woman, c'est fini depuis les années 80, mal mariée, divorcée, pas d'enfants et qui projette sur moi, qui projette… Je la subis depuis dix-huit ans, à tous les dîners, pendant les vacances, elle me gâche tous mes anniversaires, à cause d'elle, je n'ai pas le droit de me faire liposucer ; je la déteste !

Elle s'installe, elle me parle, elle me saoule, je ne suis pas en état de faire des efforts… alors je suis désagréable. Et la tempête éclate, mes parents donnent enfin libre cours à leur hystérie latente (en temps normal, ils sont trop bien élevés pour le faire mais là, j'ai manqué à la politesse la plus élémentaire, j'ai dit à ma presque seconde maman de ne pas me gonfler s'il te plaît), moi, j'ai mal à la tête : je préfère encaisser en silence jusqu'au moment où ça devient intolérable, j'élève la voix et je crie :

— C'est ça, coupez-moi les vivres, j'irai me prostituer pour subvenir à mes besoins et vous *serez contents* !

Morts de honte devant les tables voisines d'avoir engendré pareille tarée, mes parents se taisent enfin, et je peux m'allumer une clope, au calme.

Malheureusement, ce petit éclat n'est pas sans effet sur Catherine qui saute sur l'occasion d'exercer ses talents usurpés de psychanalyste ratée. Elle me questionne sans relâche, n'écoute même pas mes réponses monosyllabiques, se sert dans mes clopes, et je sens l'exaspération monter, je me contiens, je me contiens – elle m'a offert un sac Gucci pour Noël…

Ça y est. Elle s'attaque à mes rapports aux mecs : « Tu te souviens dans *Pretty Woman*, quand Vivian dit qu'on la surnommait l'aimant à minables »… Et elle m'applique son propre cas, en plus… Et elle me parle de mon père… Je me crispe. Besoin d'une cigarette, mais ses ongles rouge sang se referment sur la dernière, c'est la goutte…

— Ecoute Catherine, depuis que toi et tes semblables avez lu Freud, vous avez l'œil torve et la vision faussée. Le moindre objet contondant est un symbole phallique, la moindre voiture de sport un substitut phallique et l'engeance humaine ne « pense qu'à ça ». C'est Freud qui ne pensait qu'à ça, ce vieux pervers. On se fait analyser, c'est le dernier must-have, on analyse les autres, c'est du dernier casse-couilles.

J'en ai marre de me faire assener d'un ton péremptoire que je suis victime d'un « Œdipe mal géré », d'abord je suis une fille, pas un garçon, alors si j'ai mal géré quelque chose, c'est mon Electre, pas mon Œdipe, mesdames messieurs les apprentis psys distingués. Ah je suis amoureuse de mon père et je lui sauterais bien dessus si ce n'était pas mon père ? Pendant que tu y es, conseille-moi donc de lui piquer les clefs de sa Jaguar, de le renverser avec et de lui rouler dessus jusqu'à lui broyer les couilles, puis, armée du liquide séminal recueilli dans l'écrasement et de la force phallique que représente la grosse bagnole qui coûte cher, de violer virtuellement ma mère jusqu'à procréation de cette connasse d'Antigone. Parricide, inceste et lesbienne, j'aurai enfin exprimé tous mes fantasmes refoulés et serai, en plus, l'heureuse maman de ma petite sœur. Voilà.

Mon portable sonne à cet instant et me sauve. C'est un appel masqué et je formule un « allô » interrogateur mais je sais déjà qui est au bout du fil.

— T'es où ?

— Murat. Parents. Fini de déjeuner.

— Je passe te chercher dans cinq minutes.

Je prends mes affaires et je pars sans au revoir.

Dehors, il fait froid, je reste debout face au vent, offrant mon visage au fouet, simplement heureuse de l'attendre. Il s'arrête en double file et je monte dans la voiture.

— Qu'est-ce que tu veux faire ?

En temps normal je déborde d'imagination, mais en l'occurrence je suis prise de court, mon « ce que tu veux » est lamentable.

— Ce que je veux ? Tout ce que je veux ?

— Bien sûr que non.

— Je m'en doutais. Tant pis, si on ne baise pas, on va s'occuper comme on peut. C'est embêtant que tu aies déjà déjeuné, je meurs de faim.

— Je n'ai rien mangé.

— Allons déjeuner, alors. Tu as envie de quoi ?

— D'italien.

Il prend le périph, il dépasse la Porte Maillot, que fait-il, il n'y a rien après la Porte Maillot ? Je pensais qu'il m'emmènerait au Relais du Boccador ou au Carpaccio du Royal Monceau. Les portes se suivent et Paris décline, Andrea a mis la musique à fond, impossible de lui adresser la parole, nous filons à deux cents et les voitures s'écartent de la file de gauche comme si nous leur faisions peur, je me laisse bercer par la vitesse, tout m'est égal, il pourrait m'emmener n'importe où. Il prend une autoroute qu'il quitte au Bourget et je comprends tout à coup.

Nous sommes partis à Monaco en Falcon 50. Nous avons atterri à Nice, où le chauffeur de son oncle monégasque est venu nous chercher pour nous conduire chez Rampoldi. Nous sommes restés quatre heures à table, à boire des amarretto, je n'ai pas vu le temps passer, pas même remarqué que la nuit tombait, nous étions seuls au monde et j'étais fascinée.

Puis nous sommes repartis dans la 600, je n'ai pas voulu l'embrasser. Quelque part au-dessus de tout, je me suis endormie dans ses bras.

A minuit, il m'a déposée chez moi.

Le lendemain, nous sommes allés skier à Saint-Moritz, le surlendemain j'ai attendu son coup de téléphone toute la journée. Il avait refusé de me donner le sien pour garder la main, et je me suis rongée jusqu'à dix heures du soir, heure à laquelle il vint me chercher pour m'emmener au casino de Deauville où nous perdîmes cinquante mille avec le sourire, le jeudi, il m'a emmenée faire du shopping à Milan, puis ce fut de nouveau la Côte et un dîner sur le yacht de son oncle au large de Saint-Tropez. Plus les jours passaient, mieux nous nous entendions, mais mon obstination grandissait avec le temps, et je me refusais toujours à céder… Loin d'être déstabilisé, il restait calme, sûr de lui, jamais à court d'anecdotes ou d'idées. Mes refus l'amusaient et ça m'exaspérait.

Nous avions passé la semaine à écumer toutes les villes d'Europe, oubliant la plus belle. Samedi soir, relâche : pas de jet, pas de destination surprise, nous avons dîné à la Maison Blanche, d'un turbot et de beaucoup trop de chablis puis nous avons roulé dans Paris pendant des heures, du VIIIe au Panthéon, du Père-Lachaise jusqu'à Montmartre et nous sommes descendus de voiture devant le Sacré-Cœur pour admirer la vue.

Sur le chemin du retour, en passant par le Louvre, j'étouffe. J'ai une envie soudaine d'aller me promener dans les jardins du Carrousel. Nous discutons à ce moment-là de notre vie d'enfants gâtés, trop de chablis m'est monté à la tête et je suis dans cet état d'esprit mourant où je déteste tout. Je marche, frissonnante, le regard errant sur les pavés, et je pense tout haut :

— On vit... comme des cons. On mange, on dort, on baise, on sort. Encore et encore. Et encore... Chaque jour est l'inconsciente répétition du précédent : on mange autre chose, on dort mieux, ou moins bien, on baise quelqu'un d'autre, on sort ailleurs. Mais c'est pareil, sans but, sans intérêt. On continue, on se fixe des objectifs factices. Pouvoir. Fric. Gosses. On se défonce à les réaliser. Soit on ne les réalise jamais et on est frustrés pour l'éternité, soit on y parvient et on se rend compte qu'on s'en fout. Et puis on crève. Et la boucle est bouclée. Quand on se rend compte de ça, on a singulièrement envie de boucler la boucle immédiatement, pour ne pas lutter en vain, pour déjouer la fatalité, pour sortir du piège. Mais on a peur. De l'inconnu. Du pire. Et puis qu'on le veuille ou non, on attend toujours quelque chose. Sinon, on presserait sur la détente, on avalerait la plaquette de médocs, on appuierait sur la lame de rasoir jusqu'à ce que le sang gicle...

On tente de se distraire, on fait la fête, on cherche l'amour, on croit le trouver, puis on retombe. De haut. On tente de jouer avec la vie pour se faire croire qu'on la maîtrise. On roule trop vite, on frôle l'accident. On prend trop de coke, on frôle l'overdose. Ça fait peur aux parents, des gènes de banquiers, de PDG, d'hommes d'affaires, qui dégénèrent à ce point-là, c'est quand même incroyable. Il y en a qui essaient de faire quelque chose, d'autres qui déclarent forfait. Il y en a qui ne sont jamais là, qui ne disent jamais rien, mais qui signent le chèque à la fin du mois. Et on les déteste parce qu'ils donnent tant et si peu. Tant pour qu'on puisse se foutre en l'air et si peu de ce qui compte vraiment. Et on finit par ne plus savoir ce qui compte, justement. Les limites s'estompent. On est comme un électron libre. On a une carte de crédit à la place du cerveau, un aspirateur à la place du nez, et rien à la place du cœur, on va en boîte plus qu'on ne va en cours, on a plus de maisons qu'on n'a de vrais amis, et deux cents numéros dans notre répertoire qu'on n'appelle jamais. On est la jeunesse dorée. Et on n'a pas le droit de s'en plaindre, parce qu'il paraît qu'on a tout pour être heureux. Et on crève doucement dans nos appartements trop grands, des moulures à la place du ciel, repus, bourrés de coke et d'antidépresseurs, et le sourire aux lèvres…

Il ne répond pas, jette son manteau sur mes épaules et me serre dans ses bras. Il m'embrasse sur le front.

Une larme roule sur ma joue, puis une autre. Je ne peux plus les retenir, c'est le trop-plein des émotions contraires qui bouillonnaient en moi qui s'épanche sans que je puisse rien faire. Trop vécu trop jeune, et trop seule. Je ne mérite pas qu'on s'occupe de moi. Je ne comprends pas. Je n'ai besoin de personne.

On cherche l'amour, on croit le trouver. Puis on retombe. De haut. Mieux vaut tomber que ne jamais s'élever ? Tu fais de ta vie un calvaire. Des visages implorants, la solitude, des mains sales, un bébé qui pleure, la nuit, le néant… Le néant est une question de point de vue… Des bras m'enserrent et annihilent ma détresse, je sens une caresse dans mes cheveux, sur mes yeux qui me brûlent, sur mes joues inondées, sur mes lèvres avides. Je ne sais plus pourquoi je pleurais. Je ne pleure plus. Plus vraiment ? Ça coule toujours mais c'est parce que je ne peux pas l'arrêter. Je suis si bien. L'espoir renaît du fond du gouffre. Ré-illusionnée.

Peut-être que ce sont des larmes de joie…

Je ne sais pas.

CHAPITRE 8

Que dire du bonheur? Rien. Ça emmerde le monde. Le bonheur des uns fait le malheur des autres. Vous seriez jaloux, mesquins. Pourquoi cela marcherait-il à ce point pour nous, et pas pour vous? Et puis je ne vais pas vous raconter mon sourire niais? Ça ne se raconte pas un sourire, surtout niais!

Je ne vais pas vous retranscrire les adorables bêtises qu'on se débite à longueur de nuits, ni décrire sa façon de replacer mes mèches derrière mon oreille, la douceur de sa joue contre la mienne, et son regard plongé dans le mien…

Vous voyez, je tombe très vite dans les mauvais clichés.

Joue contre joue, yeux dans les yeux, main dans la main… Ce qu'on est con quand on aime! Ce qu'on est niaiseux, mielleux, fleur bleue, inactif, impro-ductif, égoïste, aveugle et sourd! Je promène ma tête d'autiste heureuse dans les rues de Paris, sans me préoccuper le moins du monde d'effrayer ou non mon entourage qui n'existe plus, ou les passants que je ne vois même pas. Seule compte l'opinion d'Andrea, et son visage est l'exacte réplique du mien, air béat et sourire jusqu'aux oreilles compris, aussi serait-il surprenant qu'il formule une critique quelle qu'elle soit.

Six mois de bonheur. Partagé. Des souvenirs désordonnés, et cette sensation au creux du ventre quand je les évoque… Un entrelacs de rires, de jambes, de fumée… les effluves de Dolce & Gabbana et d'Allure entremêlés… une phrase de piano pleine de langueur… l'hiver puis le printemps… mes mains crispées sur sa peau… sa voix qui me rend folle… l'obscurité radieuse qui règne dans ma chambre quand je dors dans ses bras… la fièvre qui nous anime, nos discussions exaltées et nos inlassables étreintes… le désir qui renaît aussitôt satisfait… l'oubli total de ce monde insignifiant… juste lui… juste moi… nos membres confondus… nos rires accordés… Et on se roule par terre dans la cascade de plumes virginales d'un oreiller crevé par nos excès… je me dérobe par jeu… puis m'abandonne et retombe sur le dos… mes jambes nues en l'air… Après la jouissance, l'entente… et noyer mon regard dans ses yeux limpides… et offrir mon cou à ses lèvres avides… allumer une cigarette qu'on fume à deux… ne plus rien désirer… ne plus rien redouter… l'imperfectible satiété du corps à corps… du cœur à cœur… bercé par la musique extatique de mots d'amour qui me sont destinés… Délicieuse lassitude qui freine quelques instants l'enthousiasme de la passion… nos deux êtres épuisés gisent côte à côte… en silence… et exultent uniquement d'être ensemble…

Lui jouant négligemment avec mes longs cheveux épars sur l'oreiller… moi promenant mes doigts le long de la courbure de ses reins… et la force tranquille de son corps étendu dont le seul contact me brûle la peau et l'âme… non, je n'ai peur de rien quand je suis dans ses bras… de rien… je fais de mon souffle l'écho des battements de son cœur, de mon corps le reflet de son corps, de sa jambe qui m'entoure une chaîne indéfectible… je le regarde dormir et l'ombre de ses cils sur sa joue mal rasée, sa moue d'enfant, sa main abandonnée, déchaînent en moi des passions disproportionnées…

Moi qui fuyais l'amour, qui le fustigeais à l'envi. C'était sans compter avec l'existence d'Andrea. Nous sommes la même âme dans deux corps et, quand ceux-ci s'unissent, nous ne formons plus qu'un. Pendant six mois, je ne suis pas sortie. Je n'ai rien bu, rien pris. Aucun manque. Je me suis rassasiée en dévorant sa peau, mon besoin de débauche s'est consumé à la flamme de ses yeux.

Vivre d'amour, d'Evian et de Marlboro Light.

Et croire que ça suffit.

Ça ne suffisait pas.

Nous étions l'un à l'autre notre seule planche de salut. Le garde-fou préservant de l'abîme.

J'avais très vite compris que ses pensées étaient à l'image exacte des miennes, et que s'il tentait de combattre mes convictions c'était dans le but unique d'éradiquer un mal-être semblable à celui dont il souffrait lui-même et dont il voulait m'épargner les effets délétères. Pieux mensonges… Qui croyait-il tromper ? Notre présence mutuelle annihilait pourtant notre douleur commune et bien que profondément blessée et en théorie vouée au spleen pour l'éternité, je me surprenais à me sentir heureuse. Peu à peu, notre inexpugnable désespoir tombait en léthargie… Au bout de six mois, nous étions presque devenus «ordinaires». Si cela avait pu être vrai…

Six mois de bonheur? Non. Six mois de sursis…

Une plainte stridente recommença à sourdre en moi, puis à gronder, puis à hurler… aussitôt que je baissai ma garde. Comme avant.

Nous étions juste sortis dîner. Dans un de ces endroits à la con où de rares couples ne se risquent que pour se goberger de l'hécatombe de mines dépitées qui se peignent au spectacle de leur duale félicité, fabriquée de toutes pièces. De blondes catins sont exhibées, des jambes s'envolent sous des frous-frous de robes monnayées, ça se goinfre et ça s'observe dans le bruit métallique des verres et des couverts qui s'entrechoquent, les tintements surfaits de musiques d'ambiance, et ces voix cristallines qui cancanent et lacèrent.

239 rue Saint-Honoré, l'hôtel Costes ou l'un des endroits où vous finissez toujours par échouer quand vous ne savez pas où aller dîner. Nous, nous voulions simplement échapper au huis clos. Nous avions besoin d'air. Mais nous n'aurions pas dû transplanter notre empathie dans cette atmosphère corrompue. Nous l'avions tous deux trop pratiquée.

Je me décompose insensiblement au défilé de gonzesses qui pérorent à notre table et se lamentent de sa disparition. Cynthia, Isolde, Tatiana, elles m'adressent un sourire narquois, sourcil relevé et mèche sur l'œil, et repartent en roulant du cul, moulées dans du cuir ou du python, accrochées à leur sac Fendi comme si leur équilibre en dépendait. Je félicite Andrea de ses accointances avec tant de femmes du monde. Il rétorque qu'il ne les a même pas baisées. Ça ne me fait pas rire.

Je me sers un verre.

Un coup d'œil circulaire, et j'aperçois tout le monde : B est là avec un tee-shirt Corinne Cobson et un vrai tapin. Arrivent Benji le fou, Julian et Chris, eux aussi flanqués de vrais tapins, ils s'installent avec B.

Exactement en face de moi, de l'autre côté de la terrasse, Vittorrio verse de l'Evian dans le verre à vin de Sibylle qui m'ignore obstinément et que je ne reconnais qu'au dos-nu de sa robe Valentino que nous avons achetée ensemble. Il paraît qu'elle a débloqué l'héritage de sa mère pour que Vittorrio monte je ne sais quel business. Cassandre ne me parle plus depuis que je sors avec Andrea sous prétexte que je suis « instable » et elle est parvenue à ce que Sibylle fasse de même.

Cassandre m'aperçoit à cet instant, elle baisse ses Gucci et me foudroie du regard.

Ils ont tous l'air hagard, déjà, à onze heures du soir. Leur danse macabre entre la terrasse et les toilettes me rappelle celle qui m'animait jadis.

Je me sers un verre.

Mon air radieux de ces derniers mois s'est effacé. Je bois plus que de raison. Mon reflet dans la glace qui me fait face me donne l'impression de se désagréger lentement, comme un tableau sur lequel on aurait balancé de l'acide. Mes cheveux frisent, mes yeux brillent d'une agitation malsaine, mes joues brûlent, mes mains tremblent et sous mon front candide se pressent d'atroces pensées. Mon mauvais génie d'antan reprend progressivement possession de moi.

Je me sers un verre.

Nous discutons quand même, et ça sonne faux, simulacre désespéré d'une entente parfaite qui n'est plus qu'un souvenir. Nous parlons des autres, heureusement qu'il y a les autres… Andrea me raconte que ce black qui est venu lui dire bonjour au début du dîner est le fils d'un chef d'Etat africain, qu'il portait une Rolex en or (sic !) quand ils étaient aux Roches, et pleurait toutes les nuits parce que son room mate, le fils du chef de l'Etat voisin, avait une Rolex en or *et* diamants, et Vittorrio a fait de la taule, son père est fleuriste, et Julian s'est fait virer du Bristol parce qu'il foutait trop le bordel, quant à Chris, il a planté un mec devant le Keur Samba il y a deux ans parce qu'il était défoncé, mais son père a étouffé l'affaire, et le père de Cassandre, mon ex-meilleure amie vend des armes, et d'après son père à lui, il va bientôt être inculpé, et tout ça ne m'intéresse pas et je le coupe et lui inflige le récit de mes pires frasques passées. Je lui désigne d'un mouvement de tête mes anciens compagnons de débauche… Lui, il m'a baisée. Et lui, et lui, et lui… Afters glauques, partouzes de dix heures du matin, orgies de dix grammes de coke ; j'exagère, j'invente presque. Il reste imperturbable. Il termine la bouteille, et en commande une autre. Quand le café arrive, je suis ivre morte. Lui ne vaut pas mieux mais se contient. J'étouffe, j'ai besoin d'air. Je me lève en titubant, je dissimule mon malaise grandissant sous un sourire de triomphe, je traverse la salle bondée tête haute et personne ne peut soupçonner que je suis sur le point de m'effondrer. Ma robe est trop courte, mes talons trop hauts. Je me dirige vers les toilettes :

— Hell ! Ça va ?

C'est A.

— Bien et toi ?

— Ça fait dix ans que je ne t'ai pas vue !

— Oui, je me suis un peu enterrée ces six derniers mois.

— Il paraît que t'es maquée avec ce mec en GT3 qui habite avenue Foch, Andrea ?

— Oui.

— Ça fait combien de temps ?

— Six mois.

— Ça explique tout.

— En effet.

— Vous sortez, après ?

— Non, je ne pense pas, je ne suis pas très en forme…

— Tu as toujours su remédier à ce genre de détail…

— J'en ai pas.

— Tiens.

Il me glisse un sachet.

— Merci. M'attends pas, je te le rapporte à ta table. Je dirai bonjour aux autres, aussi.

Je rentre aux toilettes qui sont décorées façon hôtel de passe de luxe. S'y bousculent en permanence un escadron de pouffiasses qui tentent de se remodeler le faciès en tirant sur leurs rides précoces et en s'arrosant généreusement de Terracotta par-dessus les UV. C'est là généralement qu'on repère les impostures : l'intérieur de leur sac n'est pas siglé, et elles en sortent sans sourciller mascara et rouge à lèvres de supermarché… Pardon, excusez-moi, je voudrais prendre ma coke, merci. Je m'enferme, et je sors en tremblant le sachet de ma pochette Vuitton. Je retrouve en un instant mes réflexes d'antan et ma carte de crédit son utilité perdue. J'effrite les grains avec application sur la cuvette rabattue. Je roule fébrilement un billet de deux cents. Je m'agenouille et contemple les cinq traits alignés. J'aspire… Et d'un. Et de deux. L'euphorie monte. Je marque une pause. Trois. Quatre. Cinq… Pourquoi s'être privée, pendant six mois ? Un succédané au bonheur : six cents le gramme. Je me relève, et dans mon trouble mon front heurte le mur, je ne sens rien.

J'ouvre brusquement la porte qui claque contre une autre porte. Sous la lumière flatteuse, la glace me renvoie l'image de la beauté du diable, une goutte de sang perle à l'arcade. Je retourne affronter mes démons. Ma démarche est assurée. Je fends la salle avec aisance, j'ai l'impression de m'éveiller d'un long sommeil. Je restitue la coke à A, moins un demi-gramme… Je l'en informe un peu confuse, il ne dit rien, bien au contraire. Je fais le tour de la table, je dis bonjour à tous ces sales mecs de la Nuit, ces ex-compagnons d'afters abjectes, souvenirs de gueules verdâtres, méconnaissables, de propos inarticulés et incohérents, de coïts avortés dans les pleurs. Et je me sens liée à eux.

Je rejoins notre table, mais ma place est prise. Andrea converse le plus innocemment du monde avec une copine de sa sœur qui croit que ses affinités avec la famille l'autorisent à poser son cul sur mon pashmina rose. Je me poste devant la table et attrape une clope dans mon paquet laissé là, je l'allume en faisant claquer brusquement mon Dupont, j'aspire une longue bouffée avec un geste saccadé.

— Bonsoir, dis-je en recrachant la fumée.

— Oh, bonsoir, je suis désolée, ça faisait longtemps que je n'avais pas vu Andrea et je me suis assise à ta place un instant, bafouille-t-elle en ouvrant de grands yeux bleus transparents.

— Si ma place te plaît, tu peux la garder.

Il sourit, l'air angoissé.

— Elle plaisante.

Il se lève.

— Qu'est-ce qui te prend, tu ne vas pas piquer une crise parce qu'une copine de Gabrielle s'est assise à ta place une seconde ?

— C'est pas vraiment ma place de toute manière.

— Qu'est-ce que t'as à être parano comme ça ? T'as pris quelque chose ?

— Oui, mon chéri. Un demi-gramme, mon chéri. Et alors ?

J'ai envie qu'il s'énerve, qu'il perde ne serait-ce qu'un instant cette maîtrise de soi qui m'insupporte. Au lieu de quoi, il me regarde presque avec mépris, et m'excuse auprès de l'idiote qui est restée plantée comme une potiche, à nous regarder nous engueuler, et n'ose pas partir sans prendre congé.

Je mets mon pashmina. Andrea me retient par le bras.

— Tu vas où, là ?

— J'ai envie de sortir. Je vais au Cabaret.

— Très bien. Je viens avec toi.

Il paye. On se casse.

Il me donne la main. Il me porte à moitié. Je baisse les vitres, l'air frais me fait du bien. Je recule mon siège et j'étends mes jambes. Je me mets à chanter à tue-tête, et à rire, à rire si fort ! Je fais des grimaces impossibles. Il ne peut pas s'empêcher de rire aussi.

Je sors la bouteille de champagne que nous n'avions pas finie et que j'ai embarquée, dissimulée sous mon pashmina. Je bois au goulot, comme une pochetronne, et le supplie de faire de même. Il s'exécute. Nous avons fière allure... Il termine la bouteille et la balance sur la chaussée de la place de la Concorde où elle explose, avec un bruit d'apocalypse. Je m'avilis à plaisir et je suis en train de l'entraîner dans ma chute.

Nous arrivons devant la boîte l'air idiot et prétentieux. Il jette les clefs de la caisse au voiturier, juste ce qu'il faut de suffisance et de désinvolture. Celui-ci lui saute au cou et se répand en effusions. Pour écourter ces touchantes retrouvailles, je prends l'accent ridicule et impérieux de la pouffe étrangère, et lui intime l'ordre de me suivre :

— Chéri, tu te dépêches, oui !

Commence la grinçante comédie des mondanités. D'autant que cela fait six mois que nous ne sommes pas sortis. Tant de gens perdus de vue à qui il faut aller expliquer où j'ai dîné avant, où j'étais passée pendant tout ce temps, qu'est-ce que j'ai fait, si je pars à Saint-Tropez cet été, ou à Marbella, ou à Ibiza, ou en Sardaigne, ou les quatre, si je vois encore machin, pourquoi j'appelle plus, où j'ai acheté ma robe, comment j'ai rencontré Andrea... Oui, oui, je veux bien un verre. Vodka, s'il te plaît et avec des glaçons... Du jus d'orange... Non, je ne perds pas les bonnes habitudes... Enfin, du calme, je ne suis pas alcoolique, non plus... Ça par contre, j'ai sérieusement freiné... Oui, c'est ça, passe-moi ton sachet, t'es un amour... Ça va... Bien et toi... Non, non, je ne suis pas mariée, pourquoi tu dis ça... Non, je n'ai pas oublié… Je ne t'ai pas rappelé parce que… parce que… Oui… de la vodka, s'il te plaît… Quoi de neuf… rien, comme d'habitude… Qui a commandé du champagne… non, j'ai assez bu… OK, t'énerve pas, mais juste une coupe… Tiens, comment tu vas, mon cœur… Oui, ça faisait longtemps… T'as pas de la coke… On se voit tout à l'heure… T'es noir… Tu reviens d'où… C'était comment… Tu sais que je me sens conne, un verre vide à la main… Vodka orange, merci beaucoup… Andrea, mon amour, je te cherchais partout, t'étais où?

— Dans l'escalier de service, en train de me faire sucer par mon ex.

— Bon, ça va, tu ne t'ennuies pas trop?

— Pas le moins du monde.

Je ne me suis pas retrouvée dans un état pareil depuis des lustres. La pièce tourne autour de moi, la mer de visages me submerge, je manque de tomber à chaque pas, mais je ne suis pas le moins du monde affectée par mon état d'ivrognerie avancée. Au contraire, j'exulte.

Quatre heures. Le Queen, les mêmes cons ; ils sont ivres morts et leurs vêtements sont sales. C'est la seule différence. Fatiguée de quémander, j'ai acheté deux grammes de coke, depuis qu'elle a baissé, je me gâte. Je traverse la fosse pour aller aux toilettes, des torses anonymes et poisseux se pressent contre moi, deux pédés bas de gamme s'enlacent, ecstasiés au dernier degré, ils salivent et me jettent des regards hostiles sous leurs piercings à l'arcade sourcilière, leur œil torve me glace. Je simule un malaise pour dépasser tout le monde. Le mec des chiottes m'offre une sucette. Je m'explose le nez. Je ressors, hagarde et les gencives anesthésiées mais très contente de moi. Je regagne le carré. Je marche, roulant du cul et balayant sans remords les obstacles de chair hideuse et suintante qui me barrent la route.

Je retrouve Andrea. Il a une fille sur chaque genou et de nouveau ce sourire sardonique qui lui fait une tête de salaud. Il boit comme un trou. J'enjambe la table en renversant quelques verres. Un pique-assiette proteste, et Andrea le remet vertement à sa place. Je dégage violemment les deux connasses de ses genoux et m'empare de ses lèvres. Je l'embrasse avec insistance, mes mains se glissent sous sa chemise et caressent ce corps que je connais par cœur. Le monde alentour disparaît. J'enlève un à un les boutons de son jean, et nous sommes emportés par notre passion mutuelle sans pouvoir la réprimer, nous glissons lentement vers l'inévitable étreinte… Et on baise. En plein milieu du Queen. Ma jouissance est décuplée par la proximité de la multitude. Nos va-et-vient lascifs passent pour un simulacre, mes cris se perdent dans la musique trop forte…

Je me retire et m'assois à côté de lui. Quelques personnes nous fixent, l'air horrifié, et nous partons d'un éclat de rire diabolique. Nous ne respectons rien ni personne, pas même nous-mêmes et nous nous sentons doués d'un pouvoir unique ; débarrassés à jamais du joug de l'interdit. Je ne peux pas m'arrêter de rire. Je suis ivre de champagne et de débauche.

Et j'en veux plus. Je ne suis pas satisfaite.

J'ai envie d'ailleurs, d'intensité, d'impossible.

Nous sortons de la boîte. Le chemin du Queen à la voiture est interminable, nous conjuguons ce qui reste de nos équilibres respectifs pour ne pas mordre la poussière. Nous traçons des figures involontaires dans l'air chargé d'électricité, et peu à peu s'immisce en moi la pensée que nous sommes grotesques. Grotesques. Des pantins gesticulants. Je m'affale sur le siège. Les Champs tournent autour de moi, et je tente de fermer les yeux pour échapper à cet étourdissant manège dont je suis le centre, mais l'étau qui m'enserre alors les tempes me contraint à garder les yeux grands ouverts sur le piteux spectacle de ma déchéance. Un corps affaissé, agité de soubresauts, recouvert tant bien que mal d'une robe aux paillettes ternies. Des mains qui se tordent. Un visage détruit. Des yeux enfoncés, hagards. Une bouche figée. Un teint hâve interrompu par un filet de sang coagulé sous l'arcade sourcilière. Je recherche dans mes yeux la lueur qui m'est familière. Il n'y en a pas. Je contemple une étrangère. Une étrangère aux yeux éteints.

Dire qu'Andrea est capable de faire un créneau… Je reste clouée à mon siège, je ne peux pas bouger. Il m'exhorte à le faire. Je refuse. Il finit par me tirer doucement par la main, je parviens à m'extirper de la voiture. Mes mouvements saccadés sont ridicules. Je me retrouve debout sur le trottoir. Un instant. Je vacille sur mes jambes harassées et m'effondre. J'ai envie de vomir. Ça monte en moi comme un sentiment de fureur, j'ai envie de dégorger mon dégoût, ma haine et les litres d'alcool ingurgités. Je suis à genoux, courbée en deux, et je vomis sans pouvoir m'arrêter mes excès de cette nuit et la vie de toujours, et je souille ma robe Lolita Lempicka d'éclaboussures sordides, et le silence pesant d'atroces déglutitions.

Et ça jaillit comme dans un cauchemar, je dégueule des litres de vodka, des litres de champagne, mes illusions perdues, les fantômes qui me hantent, et ça gicle sur le bitume noir avec un bruit d'explosion liquide et sale qui se répercute dans ma tête comme la sentence fatale de mon indignité. Et je reste prostrée. Je ne veux pas me relever, je ne veux pas affronter son regard. Ma tête baissée dissimule mes larmes brûlantes. Je veux mourir ici.

Andrea me relève, il passe un bras sous mes genoux, l'autre sous mes épaules, il me porte et m'emmène. Je suis submergée de fatigue et de honte, je laisse aller ma tête sur son épaule, j'ai l'air d'une morte. L'odeur familière de son appartement me rassérène. Il me guide à pas lents à travers les pièces, jusqu'à sa salle de bains. Il m'assoit sur la baignoire et passe délicatement une éponge mouillée sur mon visage maculé de maquillage et de larmes. Patiemment, jusqu'à l'entière disparition des traces. Jusqu'à ce que la glace me renvoie l'image d'une enfant pâle, aux yeux tristes et cernés. Il me brosse les dents.

— Crache.

Je crache. Puis il démêle mes cheveux alourdis, sans me faire mal. Il m'ôte mes escarpins Prada et ma robe. Il me fait passer une immense chemise. Il prend ma main et me conduit vers sa chambre. Il m'allonge, la tête bien au milieu des oreillers, il me recouvre jusqu'au menton. Il ne lâche pas ma main. Je me souviens de la douceur immaculée des draps, et du contact rassurant de sa main dans la mienne. Puis j'ai sombré dans le sommeil.

Le lendemain, tout recommença. Et ce fut pire…

CHAPITRE 9

Je n'en peux plus.
Nous ne sommes plus vivants, c'est un leurre.

Nous nous sommes embourbés dans la Nuit, et la coke.
Nous hantons les endroits sordides, à l'est, dans ces quartiers dont nous ignorions jusque-là l'existence, nous nous vautrons dans la saleté des autres, nous nous nourrissons de vapeurs glauques, de rencontres vaines, et de cette omniprésente putréfaction de l'âme qu'on ne retrouve que la nuit, et à laquelle nous aspirons malgré nous.
Nous nous jouons la comédie de la vie, mais nous sommes plus morts que vifs.
Des cadavres animés.

Je m'essouffle... mon désir de poursuivre est syncopé.
Je n'en peux plus...
Je me tape un trait.

Chaque jour, j'assiste à l'abaissement de l'homme que j'aime, son menton qui heurte la table, ses mains tremblantes qui vident le sachet, qui façonnent les lignes, et elles disparaissent en un dixième de seconde dans le geste saccadé qu'il fait pour les aspirer, don entier de son être où je suis une intruse.

Le nez plein, les yeux vides.

On ne baise même plus.

J'ai en permanence un goût de métal dans la gorge, je ne sens plus mes gencives, je saigne du nez tous les matins.

C'est le huis clos, l'autarcie. On n'appelle plus que notre dealer.

On essaye de tout essayer. Hier, on a fumé du crack.

Plaque de verre, billet roulé, cristaux immaculés. Il m'a volé mon vice.

Ça ne se vit pas à deux.

On se traîne dans des endroits abjects, on fait la fête avec les pauvres, ce sont les plus désespérés.

Six heures du matin, quelque part dans le XVIIIe, des poubelles et des gens. Le jour fait semblant de se lever. Mais c'est la nuit pour toujours.

Et je suis la seule à le savoir.

Il le sait peut-être aussi, je ne lui demande pas, on ne se parle plus.

Son geste las pour ouvrir les portes de sa voiture. Je monte machinalement.

Et on écoute Aerodynamic, *des Daft Punk, et ça me donne envie d'aller très vite et très loin ; et on pousse à deux cents sur les quais déserts, et tout est derrière nous en un éclair, et je me dis que j'ai envie* de crever, que ça me serait égal à ce moment précis, crever à côté d'Andrea, à deux cents dans Paris, défoncée à la coke et à la vitesse, avec les guitares hurlantes des Daft Punk saturant l'air ambiant, se jeter du haut du pont des Arts, car dans nos yeux chromés, notre destin s'est brouillé, se planter dans la cour Carrée, au pied de l'obélisque, sous l'Arc de Triomphe, place Victor-Hugo, et défoncer la porte du musée Marmottan pour aller rendre le dernier soupir devant Impression soleil levant, crever les larmes aux yeux, à côté de l'âme sœur, en face d'un chef-d'œuvre, et je me rends compte que mon nez pisse le sang, et les cloches sonnent, et nous sommes arrivés...

CHAPITRE 10

C'est fini. J'ai renoncé. Je ne pouvais plus. Je crois que nous en sommes venus à nous détester. Ne plus avoir de vie. La routine, l'affreuse routine, la certitude de nous réveiller chaque jour côte à côte, errer de conserve, l'ennui… Tenter de tromper cet ennui en nous abrutissant de substances, se défoncer pour qu'il y ait quelque chose entre nous qui ne soit pas notre «amour», s'y raccrocher pour échapper à l'autre, haïr l'autre d'être toujours là, tout en craignant qu'il parte… Partir avant.

C'est fini.

«En mon cœur idiot, l'idiotie chante à gorge déployée.»

Aujourd'hui, j'ai fait les boutiques. J'ai acheté deux jeans Cavalli, des cuissardes chez Colisée de Sacha et une veste Barbara Bui, et toute la vitrine Paul and Joe, un pantalon Joseph, une paire de Prada et, chez Dior, un énième sac, le portefeuille assorti et des lunettes d'aviateur, j'ai même acheté un bob Fendi monogrammé que je ne porterai pas, excepté le dimanche pour aller au cinéma.

Ce soir, j'ai quatre dîners : l'un est au profit d'une association caritative aux Bains, le genre de soirée où vous portez une robe du soir à trois SMIC, et où vous vous goinfrez la conscience en paix puisque vous êtes là et que grâce à votre présence et aux cinq cents balles que vous coûte l'entrée, vous sauvez trente enfants africains. Je n'irai pas à ce dîner, les Bains, c'est trop loin.

Je suis également invitée aux vingt ans de Sultan. Sultan n'est ni un cheval ni un chien, c'est un de mes amis d'enfance et je croyais que j'avais enfin réussi à le perdre de vue, mais il persiste à me convier tous les ans à ses anniversaires où je sais d'avance que je vais retrouver tous les fins de race dégénérés que j'évite depuis l'âge de raison en boycottant les rallyes et la rue de Passy. Faire la morte.

Troisième invitation, le sempiternel before chez Chris, avenue Montaigne, on commande chez Diep, on boit quelques verres et on tape quelques traits pour se mettre en condition avant la boîte.

Je n'envisage même pas d'aller au quatrième dîner, organisé par un producteur de films porno qui s'est entiché de Victoria et veut nous faire rencontrer ses acteurs.

Il n'est cité que pour sa valeur additionnelle : je suis vraiment demandée.

En fait, j'ai quatre dîners, mais tous plus emmerdants les uns que les autres et je ne sais pas quoi faire : j'ai envie d'aller au Market, le nouvel endroit de Jean-Georges *mais* j'ai aussi envie de manger des sushis, en revanche *pas* chez Nobu, et je *veux* boire des shots de vodka au malabar rose, qu'on ne sert qu'au Zo et au Bindi et pourquoi pas un poulet au

Coca ? Par ailleurs, si j'entends un serveur prononcer l'expression « de suite » au lieu de « tout de suite » et si je lis sur une carte le mot « juste » : « juste un verre de jus de carotte minute » ou « juste un peu de parmesan », je suis capable de commettre un meurtre.

Il serait donc plus prudent que je reste chez moi. Dans le doute, j'appelle Victoria sur sa deuxième ligne.

— Allô ? vocifère-t-elle avec un accent américain prononcé.

— C'est Hell, ça va ?

— Hell, darling, justement, j'étais en train de faire mes groupes d'appel et je t'ai mise en Very VIP, tu as une sonnerie rien que pour toi et…

— Vicky chérie, j'ai un grave problème et je me fous de tes groupes d'appel comme de ma première petite culotte La Perla : qu'est-ce qu'on fait ce soir ?!?

— On va chez Chris se bourrer la gueule et s'en foutre plein le nez puis on va au Cabaret se bourrer la gueule et s'en foutre plein le nez puis on va au Queen se…

— Je refuse d'aller chez Chris.

— Comment, Hell, tu as un problème avec mon petit ami ?

— Arrête ton cinéma, ton petit ami, c'est moi qui te l'ai présenté. J'aime beaucoup Chris mais je ne veux voir ni son super-copain Julian le New-Yorkais mongolien, ni son super-copain Benji élu meilleur client de Sainte-Anne pour l'année 2001, ni A, mon ex, ni B, mon ex, ni les autres minables défoncés qu'il fréquente. Ce soir, j'ai envie de conversation, vois-tu ?

— Eh bien moi, j'ai envie de baiser.

— Tu baiseras après.

— Arrête, Hell, tu sais bien que Chris n'est baisable que de neuf à onze, après, il est tellement défoncé qu'il n'arrive plus à bander…

— Alors vas-y sans moi.

Je raccroche.

A quoi bon ? Je cours les boutiques et les boîtes, les fringues se suivent et ne se ressemblent pas, je les porte dans des soirées où on danse, on boit et on ne se parle pas, où on rentre seul ou mal accompagné, et tout le monde est au bout du rouleau.

Ma vie ressemble à une balade en voiture dans Paris à quatre heures du matin, à regarder les rues désertes, à écouter des chansons nazes qui pleurent des amours de merde.

Dans sa voiture, Andrea écoutait toujours Iggy Pop, *Night clubbing* et INXS, *I need you tonight* ou encore Radiohead, surtout *Creap* et *High and dry*, il adorait Sting et U2 mais il s'en défendait.

Je l'ai converti aux musiques d'ambiance, je lui ai offert la BO de *Cruel Intention*, il ne l'a jamais écoutée.

Quand Andrea était petit, son père a quitté la maison pour s'installer au Ritz… Une nuit, il s'est relevé, il est sorti en cachette, il a marché jusqu'au Ritz et il a ramené son père. Il avait huit ans.

Aujourd'hui, il a vingt-deux ans, il s'est trouvé une petite conne, une petite blonde insignifiante, qui ne ressemble à rien, une «fille bien». Et maintenant dans Paris, on me parle comme à une veuve. Quand on me dit bonjour, ça sonne comme des condoléances.

C'est fini.

J'ai passé mes vacances dans les vaps. Saint-

Tropez, Ibiza, puis Bali avec mes parents. Faire semblant de rire, de m'amuser, boire et taper du matin au soir, même sur la plage, même sur le bateau. Déchoir… Ce que j'ai fait pendant ces vacances, je préfère l'oublier.

Il y a deux semaines, il m'a appelée. Ça faisait trois mois qu'on ne s'était pas vus. Il voulait prendre des nouvelles. Quelles nouvelles ?

On s'est donné rendez-vous au bar du Prince de Galles, à minuit, on était sûrs de ne croiser personne.

J'y suis allée habillée tout en beige, je me suis maquillée pendant des heures pour planquer mes cernes et ma mine mourante et je me suis composé un sourire éclatant.

Quand je suis arrivée, il était déjà là, toujours le même, en costume noir, avec cet air inaccessible. Il lisait *La philosophie dans le boudoir* et n'avait pas touché à sa vodka tonic.

J'ai fait la pétasse, j'ai fumé clope sur clope, avec l'air absent, je me retournais et je scrutais le bar. Deux Saoudiens sont venus me dire bonjour.

Andrea me parlait de ses vacances à Miami et du procès de son père.

Dans ce bar feutré, au milieu de ces gens insipides, nous étions deux personnes insipides, et nous n'avions rien vécu. Alors je me suis levée, j'ai attrapé son poignet et je l'ai entraîné dehors, jusqu'à sa voiture.

— Chez moi.

C'est tout ce que j'ai dit.

Il a mis de la musique, j'ai appuyé sur stop, on est rentrés avec le seul bruit du moteur pour rompre le silence.

On s'est à peine déshabillés, et on a baisé. Si mal.

Puis il m'a calmement expliqué ce qu'il ressentait pour sa conne, tous les sentiments qu'il avait «cru» ressentir pour moi, heureusement que j'étais partie parce que c'était une erreur, nous deux, mais il était quand même content qu'on ait brisé la glace ce soir, comme ça on pourrait entretenir des rapports amicaux à l'avenir.

— Diane est la femme de ma vie, Diane est la mère de mes enfants.

Veut-il me faire hurler? Même pas, il s'en fout. Il est tellement amoureux de cette pimbêche incolore, qu'il faut absolument qu'il en parle à quelqu'un.

Pas de chance, dans ce lit, il n'y a que moi, moi qui m'enfonce les ongles dans les paumes jusqu'au sang pour réprimer la douleur qui me submerge progressivement, moi condamnée à entendre de la bouche même de l'homme que j'aime le panégyrique de ma rivale, après m'être bradée dans une étreinte lasse.

Sa voix que j'ai tant chérie rythme l'effondrement complet de mes derniers espoirs. Un mot, un geste de sa part, et j'aurais craqué, je lui aurais tout avoué, la raison de ma fuite, mon amour immuable.

Une monstrueuse envie de pleurer, je me contiens. Mes yeux brillent un peu plus, peut-être, leur éclat est humide mais il ne le remarquera pas. Je fais un effort. Je reste combative. Je remplace ma douleur inoffensive par un désir de vengeance. Je veux qu'il souffre, comme je souffre. Je m'assois au bord du lit, je lui caresse les cheveux, ma voix s'élève dans le silence, et je ne la reconnais pas.

— Aime-la, cette fille, petit con, aime-la car elle pourra peut-être enfin te faire aimer la vie. Peut-être que grâce à elle tu réussiras à laisser ton nez tranquille, tu arrêteras de baiser des putes, peut-être même que pour lui faire croire que tu es bon à quelque chose tu parviendras à te résoudre à travailler, peut-être que, quand tu la présenteras à tes parents, ils te considéreront à nouveau comme leur fils. Ton père cessera de penser à te déshériter, ta mère ne pleurera plus des nuits entières parce que la bonne ne parvient pas à effacer les traces de coke sur ta table de nuit qui ne te sert qu'à ça, elle ne prendra plus de Prozac, peut-être même qu'elle arrêtera de boire.

« Tout ira pour le mieux dans le meilleur des mondes. Tu te lèveras à l'heure à laquelle tu as l'habitude de te coucher, tu iras bosser en berline, et tu écouteras les infos dans les embouteillages. Tu poseras ton cul conditionné dans un fauteuil en cuir et tu conteras fleurette à ta secrétaire qui crachera dans ton café parce qu'elle n'en pourra plus d'épousseter chaque jour la photo encadrée de ta baraque à Saint-Trop avec toi, ta femme, tes deux gamins timorés et le chien. Tu liras les journaux, tu auras des opinions politiques à côté de la plaque, tu voteras pour le programme qui diminue l'impôt sur la fortune. Le soir, tu regagneras tes pénates sans même te rendre compte de l'absurdité de ta vie, tu enfileras un sweat Polo Golf rose, tu dîneras avec ta conne, et la conversation roulera sur l'épidémie d'adultères qui sévit parmi vos amis, tu ne lui diras pas que ça s'étend jusque chez vous. Tu auras perdu ta jeunesse et tu n'en auras même pas conscience. Vous ronflerez côte à côte dans le paquebot de quatre mètres carrés qui vous servira de lit, vous ne vous effleurerez même pas. Tu t'en foutras parce que tu préféreras aller au bordel ou aux putes boulevard Lannes. Tu deviendras tes parents. Tu seras un cliché vivant.

« Non… Tu crois vraiment que tu finiras aussi bien que ça ?

« Tu rêves, Andrea, ce serait trop facile. L'idéal bourgeois, c'est encore trop bien pour toi, tu n'en es même pas capable. Tu rates tout, Andrea, même ton prénom est raté, une caricature. Et c'est ce que tu es, la caricature du pauvre mec qui a tout et qui n'est rien.

« Tu m'as cassé les couilles au bout de six mois. Pourquoi je suis partie, à ton avis ? Parce que je ne voyais pas comment te dire que pour moi c'était fini, j'avais pas envie que tu me supplies de rester, et de rester par pitié. Je suis partie, c'était plus simple. Et le pire, c'est que tu n'es même pas capable d'être constant dans tes petits sentiments minables, tu t'es mis avec ta pute au bout de quoi, un mois ? T'as oublié tes petits messages désespérés où tu noyais mon répondeur de Reviens !!!! ?

« Et maintenant, t'es content, tu fais des galipettes, tu te prétends amoureux alors que tu te tapes dix pouffiasses de banlieue par semaine pendant que ta bouffonne rêve de toi dans ses draps Bambi ! T'es défoncé du matin au soir, toi qui contrôlais tout… Et tu te prends pour un mec équilibré qui vit une histoire formidable avec une fille charmante ? Nous savons très bien tous les deux que c'est un mensonge criant. Equilibré, toi ? T'as de ces trouvailles, c'est risible !

« A part ça quoi de neuf dans ta misérable vie ? Tu déprimes plus qu'hier et moins que demain. Tu dors toute la journée, et tu ne fais rien de tes nuits. Tu te défonces la tête en pensant que tu échappes à ton destin d'origine, bon fils à papa qui fait une prépa HEC, qui sort pas en boîte, qui a des boutons plein la gueule ? Mais c'était pas ça, ton destin. Ton vrai destin, t'es en plein dedans, pauvre débile, t'en es prisonnier, de ton destin, de ton destin de raté !

« Pauvre petit Andrea qui fait le malin, qui pense dépasser la fatalité en roulant à deux cents à l'heure dans sa petite Porsche de merde ! Il y croit dur comme fer, et il s'enfonce un peu plus chaque jour dans ses délires existentialistes. La fatalité, ça va plus vite qu'une GT3, chéri !

« Son nom ; ridicule ! Andrea di Sanseverini, aristocratie fin de race, appauvrie par la consanguinité, déliquescence de l'élite ; maman défoncée, papa play-boy, fiston dégénéré, y a que Gabrielle qui s'en sortira, dans le tas.

« Sinon, Andrea a des amis de tous les sexes et Andrea a des passions, les premiers sont ses dealers et ses putes, ils lui fournissent de quoi contenter les secondes, moyennant substantielle rétribution. Andrea a même une petite amie, elle s'appelle Diane, elle est blonde et cocue. L'ambition d'Andrea ; acheter le Queen et vivre dedans. La situation financière d'Andrea, trente mille francs par mois qu'il rackette à son père pour acheter de la coke, voir plus haut. Si ce dernier commence à en avoir marre d'avoir engendré pareille tare, et envisage de ne plus cautionner ses agissements stériles en lui coupant les vivres, Andrea préférera sacrifier Laïos plutôt que ses goûts de luxe, et enverra son dealer – qui fait des extras à l'occasion – ôter la vie de celui qui la lui a donnée. Il sera riche mais torturé, les Erinyes ne lui lâcheront plus la grappe, et il finira par se raser les poignets, se goinfrer de Lexomil, se décerveler au fusil de chasse… Il se ratera, puisqu'il rate tout, et achèvera l'aberration de sa vie légume à l'Hôpital américain où Diane lui apportera des chocolats avant de prendre le voile aux Ursulines… Voilà. Une vie, un homme, Dulce et décorum, RIP, bonne nuit et dégage ! »

Il n'a pas cillé. Il s'est levé et m'a laissée. Chaque mot qui m'échappait était un coup de poignard qui m'atteignait au cœur, quand il est reparti, j'étais exsangue.

Le lendemain, il prenait l'avion pour les Maldives. Avec sa putain. Ils sont revenus jeudi dernier, après dix jours d'amour et de soleil. Et pour moi, dix jours d'enfermement, d'abjecte dépression, de mort.

Tes petites agressions mesquines, ce sont des coups dans l'eau… t'es comme un gosse qui s'est fait mal et qui essaye de pousser ses petits copains dans le bac à sable pour qu'ils se fassent mal aussi…

Samedi soir, deux semaines que je ne suis pas sortie, j'ai peur d'affronter le monde sans lui à mes côtés. Je sais que je ne le rencontrerai pas avec elle, elle ne sort pas, « c'est pas bien ». Non, il sort seul, et la trompe avec des putes. Elle ignore que c'est moi qu'il trompe avec elle.

Ce soir non plus, je ne sortirai pas. J'ai peur de son regard indifférent. J'aère l'appartement, une bouffée d'air frais chasse la fumée du salon, mais pas mes idées noires.

Chloé est à l'hôpital, elle a fait une OD. Le père de Cassandre est recherché par la police pour trafic d'armes, il s'est enfui de nuit dans son jet. Cassandre est restée, elle gagne son pain en faisant la serveuse chez Costes, et sa vie en toc en faisant la pute chez Fatien, aux dernières nouvelles, elle se tape carrément le père de Sibylle. D'ailleurs Sibylle a fait une tentative de suicide, ça plus Vittorrio qui s'est barré avec les millions de l'héritage de sa mère, c'était plus qu'elle n'en pouvait supporter.

Je n'arriverai pas à dormir.

Je mets la chaîne en marche…

Avec le temps… avec le temps va, tout s'en va…
On oublie le visage et l'on oublie la voix,
Le cœur quand ça bat plus, c'est pas la peine
d'aller chercher plus loin
Faut laisser faire et c'est très bien…
Avec le temps… avec le temps va, tout s'en va…
L'autre qu'on adorait, qu'on cherchait sous la
pluie,
L'autre qu'on devinait au détour d'un regard
Entre les mots, entre les lignes et sous le fard
D'un serment maquillé qui s'en va faire sa nuit…
Avec le temps… Tout s'évanouit…

Je me souviens de la Calavados, quand le meilleur était encore à venir… Je me souviens de son regard et du visage des musiciens. Je me souviens de ma fuite.

Quelque chose explose en moi, je me redresse en agrippant les draps, je hurle les paroles, ma voix se brise… C'est ma faute. J'ai voulu en finir sous prétexte qu'on se détruisait mutuellement, j'ai été l'artisan de notre échec, j'ai travaillé à mon propre malheur.

C'est fini.

Lui est maqué avec une pauvre fille, et moi je suis comme une conne chez moi un samedi soir. Je n'ai même pas envie de sortir, ça ne m'intéresse pas, je n'ai envie de voir personne, juste lui. Il me manque.

Après tout, qu'est-ce qui m'empêche d'aller tout lui avouer ? Lui avouer pourquoi je suis partie, et que je lui ai dit toutes ces saloperies la dernière fois parce que j'étais malheureuse, jalouse, paumée, que chaque mot qui vaut pour lui vaut aussi pour moi, et qu'il faut que nous rations notre vie ensemble.

Je t'aime, c'est rien, c'est tout, je ne lui ai jamais dit.

Et tant pis s'il me répond froidement d'aller me faire foutre. Au moins je serai fixée.

J'enfile les vêtements que j'ai achetés cet après-midi. Plus une ceinture qu'il m'a offerte. Mes cheveux sont humides, et commencent à boucler, mais ce n'est guère le moment de me faire un brushing. Je vide le contenu de mon sac Vuitton dans mon nouveau sac Dior et je pars en courant. Je me regarde un instant dans la grande glace de l'entrée… Quand je me regarderai à nouveau dans cette glace en rentrant tout à l'heure, je saurai.

Je fonce à la station de taxi, je n'ai pas envie de me morfondre chez moi pendant sept minutes. Je cours dans la rue, mes talons en métal claquent sur le bitume.

Il est minuit et demi, il doit être encore chez lui ; il envoie toujours ses copains faire le sale boulot : prendre la table à minuit, puis il les rejoint à deux heures, quand c'est rempli.

— Avenue Foch, au niveau de l'Etoile.

Son hall, son ascenseur, son palier, sa porte… La rédemption, l'absolution, le bout du tunnel… J'appuie sur la sonnette, avec frénésie, et on ne m'ouvre pas. Il n'y a personne. Ma fièvre retombe d'un coup. Je suis pathétique, encore une fois, avec les flots de mon amour dévastateur qui se brisent sur une porte close.

Il n'est pas là, il doit dîner dehors. Je ne peux pas faire tous les restaurants de Paris dans cet état. Je vais aller l'attendre au Nouveau Cabaret.

Je descends les Champs à pied. Je marche vite, je cours presque sur mes talons trop hauts. Je double tout le monde à la station de taxi. Nous filons vers la Concorde, le chemin s'éternise rue du Faubourg, sa voiture n'est pas devant l'hôtel Costes. J'allume des clopes que je jette aussitôt. J'arrive enfin place du Palais-Royal. Je descends du taxi. J'examine les plaques des voitures garées : des Porsche en pagaille, deux Ferrari, dont cette Maranello plaque suisse, encore, et une Modena Spyder bleue en plaque allemande. L'Audi TT de Victoria. Voyons un peu les Porsche noires… 750NLY75. Il est là. Je pénètre dans l'antre.

CHAPITRE 11

Je m'appelle Andrea et j'habite dans le XVIe.
Je suis presque heureux.
Il paraît que j'ai tout : je suis Jeune, Beau, Riche ;
des populations entières doivent rêver d'être
moi.
A ça près.
Je suis Jeune, Beau, Riche et lucide.
Et ça, c'est le détail qui fout tout en l'air.

Ma vie n'est que luxe, calme et volupté ; j'ai un appart à six millions, une voiture de rêve (enfin la voiture de vos rêves) et plus de fringues que Madonna, j'ai des tableaux de maîtres, deux mille CD, et une Am Ex Platinum, je fais du sport au Ritz, je ne dîne jamais chez moi. J'ai vingt-deux ans.

J'habite avenue Foch, dans deux cents mètres carrés avec parquets, moulures, cheminées et très belle HSP ; aux murs, les tableaux de maîtres précités, plus un dessin de Warhol que j'ai acheté moi-même dans une vente aux enchères et des peintures géniales d'artistes maudits ; aux plafonds, des lustres en cristal, seuls rescapés du palais toscan qui a abrité ma famille pendant quatre cents ans.

J'ai abattu quelques murs pour obtenir une pièce immense où sont disposés çà et là, et comme abandonnés, un piano à queue, une salle à manger Knoll, une télé Bang et Olufsen, des canapés, des fauteuils, des tables basses de chez Conran et des cendriers de chez Colette. Dans l'autre pièce : un lit king size, des glaces murales, une photo de New York la nuit et un jacuzzi tout en verre.

Je roule en Porsche GT3 immatriculée 750NLY75, je fais faire mes chaussures sur mesure chez Berluti, je ne porte que des jeans de créateurs ou des costumes à vingt-cinq mille, hiver comme été, je ne sors pas de chez moi sans mes Ray-Ban des seventies, j'ai toujours les cheveux ébouriffés. Je suis un artiste, et mon œuvre, c'est Moi.

Ma personne, mon appart, ma voiture, mon mode de vie, mon attitude, relèvent de l'exceptionnel, je ne fais rien comme les autres, ou alors je le fais mieux.

Je me réveille tous les jours à midi, je prends ma Porsche et je vais déjeuner dans tous ces endroits que vous ne connaissez pas, puis je vais nager au Ritz, ou faire les boutiques, ou à une vente aux enchères, ou au bureau de mon père, puis je rentre lire un bouquin ou regarder un film, ensuite je sors.

Je sors tous les soirs, c'est ma seule faiblesse. Je ne suis pas foutu de passer une soirée chez moi, ça fait huit ans que ça dure. Comme tout le monde, j'ai fait mes débuts aux Planches dont je garde un souvenir attendri car c'est là que j'ai étrenné mes premiers costumes Dolce & Gabbana. J'avais quatorze ans quand je découvris ce que je croyais être les fameuses nuits parisiennes ; Gilbert Montagné en boucle, tout Paris en chemise Ralph Lauren, le whisky et ses vertus dangereuses, le Club des Enfants Gâtés, les super-soirées à thème genre « pécho-pas-pécho-pendant-le-concours-de-cravates-sous-la-tem-pête-de-neige-open-bar-distribution- de-casquettes-Jack-Daniels-et-de-coupe-vent-Cutty-Sark », bref, turlututu chapeau pointu ! Je me prenais pour Tony Montana quand je collectais les fonds et que j'allais payer la bouteille, haut comme trois pommes, avec un des gros cigares de mon père à la bouche. Je péchois d'adorables minettes de bonne famille effarouchées – oui car à l'époque, pour dire embrasser, emballer, rouler des pelles, attraper, on disait pécho, du verlan de choper, c'est un néologisme et le pire, c'est qu'on le conjugue donc je péchois plein de petites Macha (Marie-Charlotte), de petites Anne-Cé (Anne-Cécile), de petites Priss (Priscilla), de petites connes qui venaient me sucer dans les chiottes mixtes au bout de dix minutes de tchatche et qui pleuraient misère ensuite parce que je ne voulais plus d'elles et qu'elles étaient amoureuses de moi.

Et puis j'en ai eu marre de la chair fraîche, marre d'écouter des chansons françaises nazes, marre surtout du patron des Planches qui voulait imprimer mon nom sur une petite plaque dorée et l'accrocher à l'entrée sur le cartel des meilleurs clients de la boîte, tout ça à cause de ma particule. Je me suis dit qu'une boîte tenue par un fou ne pouvait pas être une bonne boîte et j'ai tiré ma révérence.

D'ailleurs mes amis et moi avions grandi. Nous avions même atteint notre majorité. Ce n'était plus la peine que nous perdions notre temps dans une boîte qui se vide mi-juin parce que les clients passent leur brevet.

Nous étions devenus trop vieux. Force nous était de reconnaître que cet endroit où nous nous sentions comme poissons dans l'eau nous apparaissait désormais si dénué d'intérêt… L'aquarium s'était vidé et nous sommes partis grossir les rangs des vraies boîtes où nous nous sommes sentis grands. Grands ? Alors qu'on y était dévisagés comme des bêtes curieuses. Notre jeune âge étonnait, notre arrogance plus encore, mais l'argent ouvre toutes les portes, et nous écrasons à présent la faune demi-mondaine de ces boîtes prétendument sélectes. Il y a de tout là-dedans, un vrai remake de *La Comédie humaine*, bureaucrates middle class qui habitent dans quarante mètres carrés et qui claquent leur salaire en bouteilles pour flamber, secrétaires et esthéticiennes déguisées, à l'affût de la jet-set, banlieusards vindicatifs tirés du ruisseau à grands renforts d'ignobles tubes de rap français préfabriqués qui pourrissent les ondes, disques d'or, on croit rêver, merci Barclay et Polygram. Pour eux, c'est la promo sociale, nous, on s'encanaille. Voluptueusement carrés dans nos banquettes VIP et nos patronymes sonnants et trébuchants, nous sommes le 0,01 % du dixième décile, celui qui fait baver les ménagères de moins de cinquante ans qui matent *Capital* le dimanche soir, nous toisons, nous toisons, nous explosons de suffisance, la vodka et la supériorité nous montent à la tête, nous sommes les rois du monde, une vraie pub Sprite.

Nous sommes en quantité infime dans la masse, mais nous nous sentons nombreux car nous ignorons ce qui se passe en dessous, à l'heure où vous vous levez pour aller bosser, nous nous couchons, ivres et béats d'avoir claqué en une nuit le montant de vos courses alimentaires de la semaine, voire votre loyer, voire votre salaire. Et le pire, c'est que c'est normal, et qu'on recommencera demain, et après-demain, et tous les jours jusqu'à ce qu'on s'en lasse.

Ça vous exaspère ? Tant mieux, c'est fait pour.

Je suis un petit con, un sale petit con qui se la pète du haut de ses vingt-deux ans et de ses millions. Mon optique ? Emmerder le monde, vous compris.

Car emmerder le monde est la solution, la panacée contre l'ennui. Enerver, emmerder, exaspérer les hypocrites, les déclassés, les intolérants, les préten-tieux sans raison, les voisins, les bourgeois, les radins, les mythomanes, les incurables médiocres, ceux qui s'achètent des grosses voitures à crédit, ceux qui par-lent politique, ceux qui traitent les filles de salopes parce qu'ils ne les ont pas sautées, ceux qui critiquent les livres qu'ils n'ont pas lus, ceux qui ne prêchent que pour leur église, ceux qui balancent des billets à la gueule des serveurs, ceux qui n'aiment pas les flics, et j'en passe et des pires.

Je possède deux armes infaillibles pour exercer mon art, la première, c'est mon indubitable supériorité phy-sique, intellectuelle, financière et sociale qui écrase d'emblée mon adversaire et me rend invulnérable à n'importe quelle attaque, la seconde, c'est que je me fous de tout, et que je n'ai honte de rien.

Vous trouvez ça puéril ? J'ai mes raisons.

J'emmerde le monde parce que je le hais.

Je le hais de ne pas être ce que je voudrais qu'il soit. Je suis un idéaliste, je chéris des valeurs obsolètes ; le courage, l'abnégation, la grandeur. Ma vie est une quête dont l'objet n'est plus, mes ancêtres étaient des héros, je ne suis qu'un fils à papa. Rebel without a cause, je crèverai d'un accident de Porsche ou d'une overdose, alors que je voudrais mourir au combat.

Combattre quoi ? Dans un monde où Dieu est Réussite Sociale, et qu'on ne sauve plus qu'au cinéma.

Je cherche en vain dans chaque visage une étincelle de poésie, de l'enthousiasme dans les discours, des idéaux si ce n'est des idées, mais les gens passent outre, ils marchent pressés, mal habillés, les yeux vidés par les soucis.

Et je ne peux rien pour eux. Je ne peux rien pour personne.

J'ai rendu folles toutes les filles de Paris, les trois quarts d'entre elles parce que je ne les ai même pas regardées, quant aux autres, celles qui ont attiré mon attention, parce qu'elles étaient belles, ou insolentes, ou soi-disant inaccessibles, ça a été pour leur malheur.

Les filles du XVIe portent des manteaux de fourrure et des montres Cartier, pleurent pour un oui ou un non, et simulent les orgasmes. Elles sortent à quatorze ans, tapent à quinze, sucent à seize. A dix-sept, elles se font dépuceler par le fils de quelqu'un et subissent leur première chirurgie (nez, liposuccion, seins). Elles ont des problèmes d'Electre et un ego surdimensionné, elles écoutent de la musique de merde, achètent toutes les mêmes sacs et détestent leurs parents. Elles ont appris à lire dans

Voici, ne se mêlent pas à la plèbe, descendent leurs copines à longueur de journée et n'ont jamais d'idées.

Tout ce qu'elles aiment à part elles-mêmes et leur yorkshire, c'est le fric.

Leurs yeux transparents perceraient des murailles et analysent vos chaussures, votre montre, débusquent les étiquettes de vos costumes en vous caressant le torse, reluquent discrètement la couleur de votre carte de crédit, et l'épaisseur de vos poches, le modèle de votre Porsche et la place de votre table en boîte, ce que vous buvez, ce que vous mangez, le pourboire que vous laissez au voiturier, elles connaissent votre nom, savent ce que fait votre père, combien il gagne et combien il vous donne…

Toutes des putes. Tant mieux pour moi.

Je suis le challenge universel, le mec le plus beau et le plus frais de Paris, dont rêvent toutes les petites connes, que personne n'a eu et que personne n'aura jamais.

Je pourrais toutes les baiser. Ça ne m'amuse pas. Ce qui m'amuse, c'est de jouer avec leurs nerfs, les torturer, leur faire péter les plombs.

J'en ai fait un art (un de plus). Et le pire, c'est qu'après ça, elles en redemandent, elles me harcèlent au téléphone, quémandent un café, un verre parce qu'il *faut* qu'elles me parlent, me font des crises d'hystérie en public, racontent à tout le monde qu'elles sont amoureuses de moi et qu'elles ne comprennent pas *pourquoi* je fais tout ça.

Le plus drôle, c'est qu'elles finissent toutes par s'imaginer que je ne les ai pas baisées parce que je les *respecte* trop.

Je ne baise que des putes, j'aime le travail bien fait.

Je ne baisais que des putes, jusqu'à ce que je la rencontre…

Je suis dans mon salon, assis face à la nuit, et je contemple la ville qui s'allume. Je bois une vodka tonic, et je pense à Hell.

J'avais beaucoup entendu parler de Hell, en termes si contradictoires que j'en avais été intrigué, on me disait qu'elle était stupide, d'une stupéfiante bêtise, puis quelqu'un d'autre me vantait son intelligence vertigineuse, des rumeurs à propos de fréquents séjours en HP, j'appris plus tard que c'était faux, on me racontait ses coups d'éclat, ses discours provocants, on craignait sa mauvaise humeur. Mais tout le monde s'accordait sur deux points, elle était belle, et elle était folle.

Je l'ai rencontrée en faisant les boutiques, elle sanglotait devant chez Baby Dior, je n'ai jamais su pourquoi. Elle était habillée tout en noir et d'une beauté d'écorchée vive, pendant deux mois, son regard m'a hanté, mais je n'ai rien fait pour la revoir. Je ne voulais pas provoquer le hasard. On s'est recroisés, un dimanche à minuit, je l'ai emmenée dîner à la Calavados, et elle a chanté une chanson de Ferré à propos des amours mortes en me regardant dans les yeux comme si elle y lisait.

A partir de ce jour, j'étais foutu, j'étais accro. Dépendre de quelqu'un d'autre que de moi-même, m'affaiblir, me torturer, c'était tout ce que je redoutais.

J'ai passé ma vie à m'attirer l'inimitié des autres, pour ne pas me retrouver face à la situation abjecte de n'être pas aimé alors que je l'avais demandé. En étant sciemment haïssable, je gardais le contrôle, on me haïssait parce que *je* faisais en sorte qu'il en soit ainsi.

Hell m'avait eu et elle ne l'avait pas fait exprès. Tout ce qu'elle voulait, c'était me fuir, et pour les mêmes raisons : elle avait peur de moi, comme j'avais peur d'elle. Mais c'était déjà trop tard.

Je lui ai fait le grand jeu ; le jet, le bateau, le casino, Milan, Deauville, Monaco, je ne voulais pas tant l'impressionner que l'extraire de Paris où ma mauvaise réputation était omniprésente (je ne l'ai jamais autant maudite qu'à ce moment), et en faire des tonnes pour lui prouver que je ne lui tendais pas de piège.

Elle a finalement cédé. Combien de temps sommes-nous restés à nous rouler des pelles dans les jardins du Carrousel, ce soir-là ? Pendant six mois, ça a été parfait, j'étais heureux, je n'ai rien à dire de cette période, des souvenirs dont la simplicité me fait mal à présent. Juste elle, et moi. C'est tout. Et puis un soir on est sortis, son démon l'a reprise et, à partir de là, tout a basculé, on s'est mis à traîner dans des endroits glauques qui l'attiraient et la consternaient à la fois, elle en ressortait satisfaite mais blessée à mort. Elle voulait se salir, elle en avait besoin, mais ça la tuait. Elle prenait de plus en plus de saloperies, et je m'y suis mis aussi, pour que ça ne l'éloigne pas de moi et aussi parce que j'en avais besoin pour tenir avec tout ce qu'on buvait et les endroits où on allait. Je craquais doucement, mais je ne l'aurais jamais laissée. Je l'aimais.

Et puis elle est partie.

Six mois de bonheur… la chute lente… Et un jour on se retrouve à jouer seul. L'autre retire ses billes, reprend ses cartes, et vous restez là, comme un con, devant une partie inachevée… A attendre. Parce que vous ne pouvez faire que ça, attendre. Cesser d'attendre, ça voudrait dire que c'est fini.

Vous attendez en vain qu'elle relance les dés, vous pensez qu'il vous reste des cartes maîtresses que vous n'avez pas encore abattues, et qui changeront le cours de la partie.

Mais vous avez perdu.

Moi, j'ai perdu.

Non, je *suis* perdu.

Je l'aime… Tout le temps, toujours, à en crever. Je l'aime endormie ou déprimée, je l'aime même cokée, abrutie, dégradée. Elle réussissait, je ne sais pas comment, à rester tellement pure dans les situations les plus dégradantes que j'avais envie de me mettre à genoux devant elle.

Quatre mois que c'est fini. Il n'y a pas de mot.

Depuis, je sors tous les soirs, je ne maîtrise plus rien, je me défonce comme jamais, je ne sais plus ce que je fais. Je me suis trouvé une petite conne, une petite blonde, je déteste les blondes, raisonnable, effacée avec un de ces petits visages de souris délicates ; son antithèse. Je la baise une fois par mois, je sais à peine comment elle s'appelle.

Diane. Aucun intérêt.

Et je l'affiche, je la couvre de cadeaux hors de prix, tout le monde me prend pour un fou.

A côté de ça, je n'ai jamais ramené autant de salopes, et je les baise sans capotes, et je leur éjacule dans la gueule, et je les vire.

Il y a un mois, j'ai rappelé Hell. Je ne tenais plus. J'ai prétexté mon retour de vacances, prendre des nouvelles, banalités…

Elle est arrivée rayonnante de beauté et d'indifférence, elle écoutait à peine ce que je lui disais, elle passait son temps à observer les autres puis, sans que je comprenne ce qui lui prenait, elle m'a entraîné dehors, jusqu'à ma voiture, et on est allés chez elle. Un instant, j'ai cru que mon cœur allait éclater, que je sortais d'un cauchemar, que j'étais là pour n'en plus repartir. Mais quelque chose en elle n'allait pas, j'avais l'impression que ce n'était plus la même, qu'elle voulait me faire du mal.

Je l'ai baisée. Je lui ai fait croire que je me vidais les couilles alors que j'avais envie de lui crier que je l'aimais. Puis je lui ai expliqué que j'étais fou amoureux de Diane, qu'elle était l'amour de ma vie, la mère de mes enfants et d'autres conneries du même acabit, ça ne lui a fait ni chaud ni froid.

Tout ce que je voulais, c'était l'atteindre, voir briller des putains de larmes dans ses yeux, qu'elle crie, qu'elle hurle, qu'elle fasse une crise. Elle s'est levée posément, s'est mise à me caresser les cheveux et m'a démontré par a + b l'être minable que je suis.

Et je l'ai laissée.

Le vide, on ne peut pas le décrire. Juste ses effets. Me raccrocher à ma vie de con. Impuissance. Envie de passé. Tout recommencer, éviter les erreurs, quelles erreurs ? Voué au vide ? Ecrit. Destin. Et toutes ces conneries. Le moindre geste est pesant. Les yeux rivés au sol. L'indifférence à tout. Haïr les objets. Se distraire, prendre un bouquin, regarder un film, sursis pendant une heure ou deux, puis replonger. Tourner dans Paris, tourner sans but. Ces façades immuables qui abritent tant d'amours bon marché, ces existences grouillantes qui me dégoûtent. Nous… Quelque part, quelqu'un vit sans moi.

Le vide en ce moment, et toutes ces journées vides qui m'attendent et rien n'a d'importance, et pourquoi, pourquoi, pourquoi ? Et pourquoi n'aime-t-on plus rien, quand on n'est plus aimé ?

S'endormir sans avoir envie de se réveiller, ou se réveiller avec elle à mes côtés.

Mes pleurs avenue Georges-Mandel, entre sa porte et ma voiture, quelques pas ; et cette nuit ultime… déjà du passé. L'avoir vue. Plus belle encore, c'est parce que c'est fini ?

Haïr les lieux ; cette chambre du plaisir devenue hostile, inhabitée. Partir. Parce qu'il faut bien partir. Même si on n'en a pas envie. Partir parce qu'il le faut. Que c'était insoutenable, ce lit qui ne m'appartenait plus, Hell, qui ne m'appartenait plus. Et l'espoir envahissant, persistant, tapi au coin de l'âme et qu'on réprime sans pouvoir y arriver, et qu'on exècre, puis qui décline de lui-même, jusqu'à la dernière seconde, jusqu'à l'adieu, jusque dans l'ascenseur.

Passer la porte. La rue. Et puis plus rien.

Le vide.

Je pose mon verre vide sur la table basse. Je regarde la tour Eiffel éteinte. On sonne à la porte, je n'ai pas envie d'aller ouvrir. Il est minuit et demi, je ne me change pas, j'ai rendez-vous dans dix minutes au Nouveau Cabaret.

Je descends au parking, je prends ma voiture, et je vole jusqu'à la boîte.

C'est déjà blindé, je traverse la foule et retrouve les

autres, je m'assois, je me sers un verre dans cet entassement, cet enchevêtrement de gens, cette promiscuité des corps. Depuis l'autoflagellation, l'homme ne s'est jamais infligé supplice avec autant de bonne volonté et je me demande pourquoi ce besoin insurmontable de gagner fébrilement ma voiture et de partir la joie au cœur piétiner six heures d'affilée en sous-sol, sous une lumière aveuglante ou une obscurité cache-misère et abruti par le boum boum insoutenable d'une soi-disant musique, tout juste bonne à servir de bruit de fond à des gobeurs d'amphétamines déjantés. Le code social du lieu : payer une bouteille d'alcool entre vingt et vingt-cinq fois plus cher dans ces bordels que chez l'épicier du coin, poser cette bouteille sur une table, grande comme un mouchoir de poche, table sur laquelle sont disposés des verres, à chacun de ces verres correspond un tabouret et, sur chaque tabouret, un mec qui s'emmerde et qui a payé sur la bouteille.

Sur cette planète, l'espace vital des individus est défini par une bouteille. Bien.

Et il faut les voir montrer les dents quand quelqu'un s'aventure à leur table sans y avoir été convié. Ils mordent quand c'est à la bouteille qu'on s'attaque. 75 centilitres de vodka à 1 200 francs, sachant que coupée au jus d'orange ou au Schweppes, cela équivaut à une vingtaine de verres, donc 60 francs le verre, dix gorgées dans un verre, ça nous fait du 6 francs la gorgée… Il n'y a pas de quoi s'émoustiller plus que cela mais que voulez-vous ?

Ici, les règles sont modifiables à volonté à condition de respecter celle qui a force de loi. Raquer. Raquer pour rentrer, raquer pour s'asseoir, raquer pour boire, raquer pour baiser, raquer pour pisser. Ah si ! Vous y êtes obligé ! Rien de pire que le regard méprisant de madame pipi quand en passant devant sa sébile vous négligez d'y faire résonner une ou deux piécettes. Et n'essayez pas de feinter avec des centimes, ces pièces sont plus légères et produisent donc un bruit plus aigu. Et madame pipi, qui en vingt ans de carrière a eu le temps de classifier toutes les devises existantes et le tintement qui leur correspond, froncera les sourcils et ira colporter des histoires sordides sur votre compte à toute la boîte. Pire, elle ira chercher le videur quand vous serez tranquillement en train de vous faire une ligne sur le couvercle des chiottes, parce qu'elle aura grillé à la disposition de vos pieds que vous n'êtes pas en train de faire ce que vous seriez supposé faire.

Donc rien n'est gratuit, tout se monnaye. La grande blonde qui vous sourit derrière l'épaule de son mec, ce n'est pas vraiment à vous qu'elle adresse ce sourire éblouissant, c'est au goulot doré du magnum de Cristal qui dépasse du seau de glaçons posé devant vous. Et cet homme à l'épaule confiante, ce n'est pas son mec, mais son mac. Et pourtant vous la trouviez belle, vous étiez charmé, transcendé, au septième ciel ! (vous avez un peu bu). Elle était là, elle était blonde, elle vous souriait. Vous esquissez vous-même une petite grimace aimable et lui tendez une coupe. Quelque part au fond de vous-même, vous espérez qu'elle ne va pas l'accepter et que vous pourrez rêver d'avoir avec elle une grande maison blanche villa Montmorency, pleine d'enfants bruyants, agrémentée d'un chien qui perd ses poils. Mais quelque part et même bien plus, vous espérez qu'elle acquiescera en battant des cils et que tout s'enclenchera jusqu'à ce que vous la rameniez chez vous et puissiez tirer votre coup. Et elle accepte votre coupe et son me(a)c se tire faire des mondanités, et elle s'assoit à votre table et le reste ne concerne que vous.

Cette boîte, c'est le monde en plus concentré. Dans tout ce que son fonctionnement a de plus vil, de plus bas, fondé sur le mercantilisme du cul, et de l'argent. Je suis assis sur un tabouret et, dans mon champ de vision, il n'y a que des culs. Ceux des pouffiasses, c'est leur passeport, il faut bien qu'elles l'exhibent, et les gros culs des payeurs de bouteilles. Avec un portefeuille bourré qui protubère dans la poche droite. Le cul, le fric, le cul, le fric ; ça me donne envie de gerber.

Le clientélisme est toujours d'actualité. Les patriciens d'aujourd'hui trimbalent leurs clients en Porsche, les régalent chez Diep, au Barfly et les appellent du doux nom de pique-assiette. Ceux-ci sont légion ; mannequins de pacotille, banlieusards bien tombés, minets désargentés… La lie du monde de la nuit, qui n'est déjà pas bien glorieux. Vile symbiose ; en échange d'un train de vie qu'il serait incapable de mener seul, le pique-assiette, secondé par une horde de congénères mâles et femelles, entoure l'homme riche, laid et insupportable, dont il satisfait le goût de la domination qu'un charisme inexistant l'empêche d'exercer sur ses semblables, et il s'en prend plein la gueule du soir au matin, sinon adieu veaux, vaches, cochons, couvée…

Le pique-assiette est facilement reconnaissable au fait qu'il n'est jamais assis, toujours impeccablement habillé, mais regardez-le d'une semaine à l'autre, il ne s'est pas changé. Il connaît toute la boîte (mieux vaut ne pas garder les deux pieds dans le même sabot), il connaît toutes les putes (ils font le même métier), il suinte le ruisseau dont il sort par tous les pores… Dealers intérimaires, rabatteurs confirmés, organisateurs de dîners de connes et d'afters à putes, il ne suffit pas de faire acte de présence, une utilité quelconque est la bienvenue. Il faut les voir surfer sur la vague de l'argent en essayant d'en récolter quelques éclaboussures. Fi. Après avoir toisé toute la boîte du carré où il siège en pétant plus haut que son cul, le pique-assiette regagnera sa chambre de bonne miteuse. Il se couchera et essaiera de s'endormir en comptant les fissures du plafond. Sans y parvenir à cause de tout ce qu'il s'est mis dans le nez aux frais de la princesse.

Le miracle de la nuit, c'est quand l'un d'entre eux réussit à se taper de l'héritière. Ma sœur m'a fait le coup il y a deux ans, je me souviens des efforts caricaturaux du mec pour faire bonne figure dans mon salon, heureusement que ma mère était à Deauville et qu'elle n'a pas vu ce gros beauf traîner ses Nike éculées sur ses tapis persans… Ma sœur s'en était amourachée, c'était ça le pire. Ma sœur avec un ex-dealer ex-taulard qui roulait en Smart de location ou en 993 empruntée et qui affabulait au sujet de sa BM qu'il avait soi-disant plantée une semaine avant d'avoir fait la connaissance de Gabrielle. Et elle, pauvre chérie qui gobait… Mon père laissait passer jusqu'à ce que Gabrielle lui pique son Am Ex Black et coure chez Rolex acheter une Daytona à cent mille pour ce naze. Papa lui remit les idées en place, la menaça d'un envoi immédiat au Rosay et décréta qu'il ne lui offrirait pas de Rav4 pour ses dix-huit ans. Or s'il y a deux choses que Gabrielle idolâtre par-dessus tout, ce sont les voitures et exaspérer ses copines. Grâce à cette caisse de merde, elle pouvait faire d'une pierre deux coups et elle finit par renoncer à son don juan des rues qui repartit la queue entre les jambes courir les jupons d'autres filles de.

Il a ruiné l'ex-meilleure amie de Hell, qui a tenté de se suicider, et s'est installé à Punta del Este. Bon débarras.

D'un côté à l'autre de la boîte c'est le miroir aux alouettes, dans le carré, les filles ne sont vraiment pas piquées des vers. Toutes sont tout droit sorties d'une affiche Calvin Klein, la fraîcheur en moins et, malheureusement, la parole en plus. Mon idée de la perfection : un mannequin muet. Belles, bonnes et connes, l'harmonie transcendante de leurs corps de déesses n'a d'égale que leur vénalité ; leurs yeux brillent comme ceux de Picsou quand elles distinguent dans l'obscurité de la boîte l'éclair d'une carte dorée. Elles ne sont d'ailleurs pas sans savoir que l'or et l'argent sont difficilement dissociables, et que carte Gold rime souvent avec tempes argentées. Qu'à cela ne tienne... «Quel âge as-tu ? — Soixante-deux ans. — Dis-moi dans quoi tu roules, et je te dirai qui tu es. — Bentley. — Tu es l'homme de ma vie. »

Salopes.

Entre les tables, c'est la piste ; l'angoisse olfactive et l'angoisse sociale. Les nanas font automatiquement vingt centimètres de moins, et ce qu'elles perdent en hauteur, elles le gagnent en circonférence... Sont rassemblés là tous ceux qui ont échappé à la vigilance du physio, qui ne comprennent rien à ce qui se passe et qui se sont regroupés par instinct grégaire. Beau troupeau de beaufs! Ils simulent l'euphorie au beau milieu du couloir, exposés aux regards condescendants des very important persons qui se repaissent de la comparaison. Las, tout le monde tente de montrer à tout le monde un visage souriant, on danse, on rit, on s'étourdit. Les bouches ont beau s'étirer d'une oreille à l'autre, les yeux restent vides. On se force coûte que coûte, qu'est-ce qu'on s'éclate au Cabaret! Mon rêve serait que la musique s'arrête brusquement et qu'on entende à sa place toutes les pensées des gens. A propos des uns et des autres, les haines cachées, les secrets honteux, qui veut baiser qui, qui a baisé qui… Car vous ne pouvez pas imaginer à quel point ça tourne, tout le monde se tape tout le monde, c'est la gigantesque partouze! Et c'est loin de créer des liens, vous pouvez me croire: il y a des filles que j'ai baisées à qui je dis à peine bonjour. Dire bonjour, lamentable rituel! En arrivant quelque part, on perd une demi-heure à aller claquer deux bises mécaniques sur des joues hypocrites qui appartiennent à des cons dont on se fiche éperdument, à qui on n'a rien à dire, qu'on a vus de toute façon hier et qu'on verra demain.

Je n'en peux plus de cette foule ridicule. Au premier abord, elle est impressionnante, des mecs en costards, des filles bien foutues, avec cette odeur de fric mal acquis. Mais en y regardant de plus près… Les filles sont en général plutôt laides, affublées de fringues de mannequin qui les rendent grotesques. Et ces mecs suffisants, la tête vissée à 45 degrés, le menton encore plus hautain que les yeux, engoncés dans le carcan de leur importance factice. Otez-leur leur costume Hugo Boss rembourré aux épaules, leur classe S, leur Rolex et il ne restera plus grand-chose de cette allure imposante. A la place, vous obtiendrez un grand maigrichon à poil, l'œil vague et l'air insignifiant, bien désemparé de se retrouver sans sa panoplie d'homme puissant.

Je suis là depuis deux heures, et j'en ai marre. J'en ai marre de faire semblant de m'amuser, d'arborer une bonne humeur que je suis loin de ressentir. Marre de ces yeux avides qui glissent sur mon visage et s'arrêtent sur mon Audemars Piguet.

Sur mon fauteuil, le cuir est déchiré, et le molletonnage blanc s'en échappe. C'est ça le Cabaret, du rembourrage de mauvaise qualité recouvert de faux cuir. Symbolique. J'ai comme une prise de conscience, une seule envie, m'en aller, la solitude est préférable à ce semblant de fête. Rester seul et penser à Hell.

Les yeux bovins de mes amis expriment la stupéfaction la plus totale.

— Mais enfin, il n'est que deux heures et demie et c'est la guerre !

« C'est la guerre », bande d'imbéciles. Je me casse, je quitte ce lieu de perdition.

Un dernier regard à la boîte grouillante, et je l'aperçois.

Habillée comme une pute avec la ceinture que je lui ai offerte, elle surplombe la marée humaine en se déhanchant sur un tabouret, elle n'arrête pas de renifler.

Elle est entre Julian et Chris et enlace sa copine Victoria que je ne peux pas supporter. Elle rit, tape dans ses mains, boit la moitié de son verre d'un seul trait, puis les coins de sa bouche s'abaissent et je discerne un instant l'expression du désespoir dans ses yeux voilés, avant qu'elle ne reprenne son masque de joie. Je suis le seul à savoir. Un instant, j'ai envie d'aller vers elle et de l'extirper de cet endroit, mais je ne peux pas.

Je pars. Sans dire au revoir, sans me retourner. Je monte les escaliers et je franchis la porte. Une bouffée d'air frais me frappe le visage. J'inspire avec volupté. Je regarde le ciel en pensant à tous ces gens qui dorment et je suis bien content d'aller grossir leurs rangs. J'allume une cigarette.

Je découvre un sens nouveau à chacun de mes gestes. Je me sens libre. Le bruit saccadé de mes pas sur le bitume glacé, la clarté des réverbères et des restaus encore ouverts. Le voiturier me demande ce qui ne va pas. Je lui donne cent balles, la réponse lui suffit. J'esquisse un sourire pendant qu'il me souhaite bonne nuit. Je me mets au volant de ma caisse, sur le trottoir d'en face, deux minettes matent le jeune conducteur de Porsche que je suis. Garces vénales ! Je roule dans une flaque et les éclabousse au passage. Je remonte la rue de Rivoli dans une embardée de moteur. J'ai zappé mes CD habituels, house rapportée d'Ibiza, compils du Buddha, la branchitude me déprime, à la place, j'écoute la BO de *Cruel Intention*, n° 9.

C'est Hell qui m'a offert le CD. Je la mets en boucle et je ne m'en lasse pas. Triste. Je le suis aussi. Mais pas seulement. Je suis calme, comme je ne l'ai pas été depuis longtemps. Paris défile sous mes yeux soudainement dessillés. Je décide de ne pas rentrer chez moi tout de suite et de sillonner la capitale. Trois heures du mat. Je peux foncer en toute sécurité. Juste faire attention aux flics.

J'aime Paris. Les immeubles imposants, succession d'éclairs blancs dans une ville jamais complètement noire. Je regarde devant moi. Peu d'apparts sont allumés. Une vision de tableaux, de miroirs. Envie de pénétrer dans ces foyers qui ne sont pas les miens. On y est peut-être heureux ?

Je roule à cent cinquante. Je ne sais pas ce que je fuis, ni ce après quoi je cours. La vitesse me grise. Demain, tout va changer. J'en ai marre, j'en peux plus. Poursuivre chaque jour une finalité qui n'existe pas, m'étourdir, taper, jouer, baiser, sortir, je veux rompre cet engrenage infernal. Demain, j'arrête la coke, je me résigne à faire quelque chose. Je veux avoir une raison de me lever le matin. Demain, je bazarde ma fierté de con qui sert à rien, et je lui avoue la vérité, je lui dis à quel point je l'aime, que je n'ai jamais cessé de l'aimer. Et puis si elle s'en fout, au moins, je serai fixé. Et je pourrai passer à autre chose, cesser de me torturer, vivre… Il est grand temps. Et si elle ne s'en fout pas… Demain ne sera pas comme hier, comme aujourd'hui, comme tous les jours gâchés de ma misérable vie.

Demain je serai peut-être avec Hell.

Un feu rouge. Place de la Concorde. Jamais personne. De toute façon, peux pas m'arrêter. Roule trop vite. Une voiture noire sur la gauche. Elle roule vite aussi. Le plus beau moment de sa chanson. Je n'ai que le temps de monter le son au maximum avant de sentir mon pare-brise exploser, ma portière exploser, et moi…

Demain aurait été un autre jour… semblable.

CHAPITRE 12

Voici venir le temps où vibrant sur sa tige...

Quatre heures du mat, on sort du Queen et je suis défoncée. Je ne pouvais pas rester une minute de plus dans cette boîte de merde, trop de monde, cette chaleur insupportable, rien que des visages hostiles, tous ces connards qui n'avaient qu'une seule envie : me sauter, ce producteur de porno qui me poursuivait avec son paquet, et qui me proposait de la thune, A complètement déchiré, et tous les plus sales mecs de Paris sur trois tables en train de boire et de taper, et de gober, et Chris a donné un gramme à Victoria, c'est normal, il sort avec elle, et on est allées se le faire à deux dans les chiottes (le gramme), la coke était jaune et coupée à je ne sais quoi ce qui fait que maintenant j'ai les mâchoires tellement contractées que j'ai du mal à parler, cinq personnes nous ont proposé des afters, à Victoria, Lydie et moi, mais nous avons hurlé car nous ne sommes pas le genre de filles à faire des afters et nous sommes parties avec Chris et Julian rejoindre un de leurs copains milliardaires dans sa suite au Ritz, au dernier moment, le père de

Sibylle à qui j'avais réclamé de la coke toute la soirée m'a glissé un énorme caillou dans la main et je décide de ne pas faire part à Victoria et Lydie de l'embellie, sinon elles taperont TOUT et ne me laisseront RIEN.

Je suis défoncée. Victoria aussi. Lydie aussi.

Chaque fleur s'évapore ainsi qu'un encensoir...

On sort du Queen, l'air frais me dégrise un peu, je me calme. Je crois que je me calme. A chaque fois que je tape, je me dis que c'est la dernière fois, parce que je fais des paranos terribles et tous les jours, je recommence, je recommence, je recommence. Là, j'ai l'impression de contrôler, parce que je suis sortie de la boîte et que je suis avec des amis qui ne me veulent pas de mal, mais si ça se trouve, je ne contrôle pas du tout et il va m'arriver quelque chose d'HOR-RIBLE, je ne sais pas quoi, je serais incapable de dire quoi, mais j'ai PEUR, et Julian me prend dans ses bras et me porte jusqu'au Warwick où est garée la voiture et Lydie a envie de me TUER, je le sais, j'en suis sûre parce qu'elle est amoureuse de Julian qui l'a baisée hier soir et qui n'en a rien à foutre de sa gueule. Tout à l'heure, j'ai bu un cocktail dénommé « screaming orgasm » mais je suis incapable de me rappeler où, et je me demande comment la coke qui est une substance peut exercer un effet sur mes pensées qui sont abstraites. De toute façon, je n'en ai rien à foutre de Julian, c'est un con, un drogué et il veut me BAISER.

Victoria et Lydie sont derrière nous, je n'aime pas qu'elles soient derrière nous. Pendant que le voiturier sort la voiture de Julian, une grosse Mercos manque de nous renverser, deux mecs pas trop mal, vingt-cinq ans, je suis sûre qu'ils l'ont fait EXPRÈS. Victoria se rue sur la voiture, arrache son manteau en cuir rouge, s'allonge sur le capot en robe du soir, écrase ses seins sur le pare-brise et crie :

— Eh les mecs, vous me ramenez chez moi !

La voiture démarre, ce qui éjecte Victoria qui s'abat sur moi et je la rattrape comme je peux même si je n'en ai pas envie. Car je me rends très bien compte que Chris blêmit et qu'ils vont finir par nous planter là à cause de ses conneries.

Julian prend le volant d'un très beau ML 55 AMG immatriculé MAD 75, je me demande d'où il le sort vu qu'il n'a pas une thune, je le lui demande, il se renfrogne et ne me répond pas et, de toute façon, je l'emmerde. On monte dedans, Victoria, qui braille à côté de moi, m'empeste avec son haleine chargée de whisky et son parfum Mugler trop lourd dénaturé par la fumée et le champagne qui trempent ses vêtements.

Les sons et les parfums tournent dans l'air du soir…

Jusqu'au Ritz, je ne sais pas de quoi nous avons parlé, je me souviens juste de Victoria brandissant son sac Fendi et gueulant :

— Regardez ce bel objet de design italien !

— Ferme ta gueule, Victoria, FERME TA GUEULE !

— Va te faire foutre, SALOPE !

Et Julian :

— Hell t'a dit de te taire, Victoria, alors TAIS-TOI !

Puis Lydie ouvrant la portière devant chez Gucci et essayant de descendre de la voiture en marche pendant que Victoria et moi éclatons de rire et Chris prenant plein de coke sur une clef, et nous troublons de manière honteuse la sérénité de la rue Saint-Honoré. Moi, j'allume une Lucky Strike, ces clopes dégueulasses qu'on m'a vendues au Queen. Et soudain cette atroce révélation qui fout tout en l'air, mais j'en suis absolument sûre et rien ne sera plus jamais pareil après ça : SI LES RICHES NE SONT PAS HEUREUX, C'EST QUE LE BONHEUR N'EXISTE PAS.

Place Vendôme, nous dégringolons hors de la voiture et nous nous foutons éperdument du regard des voituriers. Je passe la porte qui tourne sans dommage et pas un muscle du visage du concierge ne bouge quand Chris lui donne le numéro de la chambre et un nom qui ressemble à un mot de passe : Derek Delano.

La musique de l'ascenseur casse l'ambiance, je hurle que le Matisse dans le couloir est un faux et qu'on se fout de notre gueule.

Nous pénétrons dans l'une des plus belles suites de l'hôtel ; trois cents mètres carrés de dorures, de parquets, de miroirs et la vue sur la colonne Vendôme me déprime.

C'est le chaouch du maître des lieux qui nous reçoit, il se prénomme Mirko, et nous informe que Derek Delano dort et qu'il ne faut pas le réveiller. Puis il ouvre une boîte siglée sur la table basse, je n'ai jamais vu autant de coke de ma vie. Pendant qu'il écrase les grains avec une Am Ex Black, j'ai tout le loisir de l'observer, il est AFFREUX, plus trace de pupille dans ses yeux bleus délavés, d'énormes biceps, une face grimaçante, des difficultés d'élocution, il avale la moitié des mots et oublie d'intégrer des verbes dans ses phrases.

Nous prenons place. C'est l'effervescence ; Lydie qui manœuvre pour rester à proximité de Julian, Victoria dansant au milieu de la pièce, Mirko continuant d'écraser la coke avec ardeur, et Chris cherchant des verres propres et des bouteilles pleines.

Valse mélancolique et langoureux vertiges.

J'appelle le room service, demande un Big Mac, au bout du fil, j'entends le réceptionniste déglutir, me dire que c'est impossible, alors je commande des conneries : des Marlboro Light, des framboises, du Cristal rosé et du caviar blanc, mais ils n'en ont pas, ils ne savent même pas ce que c'est, je me rabats sur du Beluga.

Mirko, qui vient d'écraser dix grammes de coke, se rend compte que pour six, ça suffira sans doute, il se lève et met *Just a little more love*, le CD de David Guetta.

Le violon frémit comme un cœur qu'on afflige.

Je me mets à broyer du noir. Dans ces ambiances, l'excitation est à un degré du pétage de plombs, je sens mes nerfs tendus, mon cœur battre trop vite, un goût amer entre mes mâchoires serrées et je lève les yeux vers le ciel pour y chercher de l'aide.

Le ciel est triste et beau comme un grand reposoir.

Je ne trouve qu'un énorme lustre en cristal à pendeloques. L'entrée du room service interrompt mon bad trip. Je n'avais aucune envie de caviar, je prends le paquet de clopes, j'en allume une et j'observe Victoria, qui oubliant sans doute qu'elle sort avec Chris, chevauche bruyamment Julian. Son soutien-gorge dépasse de sa robe qui s'est dégrafée dans le feu de l'action et dénude entièrement ses cuisses un peu trop fortes.

Je n'avais pas envie de venir.

Un cœur tendre qui hait le néant vaste et noir.

J'observe Lydie qui se décompose car trahie par l'idole et ne sait plus à quel saint se vouer. Mauvaise, elle tente un rapprochement vers Chris. Elle est à genoux, il est debout, elle pose les mains sur ses hanches et lève les yeux vers lui. Le visage fermé, il se dégage d'un mouvement. J'ai envie de rire. Juste l'envie.

— Victoria, articulai-je doucement, y a de la coke.

Elle bondit, échevelée, à moitié à poil.

— Où ça ?

Elle aperçoit Mirko qui prépare ses lignes. Elle enjambe un fauteuil qu'elle accroche au passage, tombe à genoux en déchirant sa robe, et plonge son nez en plein dedans. S'en fout partout. Je l'entends renifler avidement. Lydie la suit et, pendant quelques minutes, personne ne parle. Elles s'activent, courbées en deux, la nuque frémissante.

Victoria a changé de cible, c'est Mirko qui a la coke, c'est Mirko qui se voit dédier ses attentions envahissantes. Car elle en veut toujours plus et ferait n'importe quoi pour un malheureux gé. Elle câline, papouille et bécote cet ignoble quadragénaire avec force exhortations à ce qu'il crache ses réserves. Celui-ci émet des objections inaudibles. Derrière le dos de Victoria, Chris est attablé devant les vestiges d'une orgie. Il se tape tous les fonds de bouteille, whisky, gin, tequila, martini blanc et, entre chaque verre, il se fait un trait. Victoria m'arrache la bouteille de Cristal et va la lui porter, il a un geste de refus, et, ravie, elle enfourne le goulot dans sa bouche, s'interrompant de temps en temps pour articuler, la bouche pleine de bulles d'incohérentes protestations de tendresse.

Lydie ne perd pas le nord, elle s'est jetée sur Julian. Il se dégage de son étreinte indésirable, traverse la pièce et s'installe sur le fauteuil à côté du mien. Il me demande quel parfum je porte. Je porte Allure de Chanel, il me dit que ça me va bien, bref, il me fait une phrase, et je réplique que je ne compte pas me faire baiser ce soir, et par qui que ce soit. Lydie, le visage déformé par la fureur, insulte Julian et lui dit qu'«elle l'encule, elle l'encule, elle l'encule», elle est conne et vulgaire, et pitoyable, et elle me porte sur les nerfs, et je tape deux ou trois traits.

Les sons et les parfums tournent dans l'air du soir.
Je commence à n'en plus pouvoir. L'intérêt de ce genre de soirée, c'est de se défoncer, et de se faire défoncer. Je suis déjà suffisamment défoncée comme ça, et si je continue, je ne sais pas ce que je vais devenir, mais tant qu'il y aura de la coke sur la table, je ne m'arrêterai pas. Je tape tout, et Victoria me tombe dessus, furieuse, il ne reste rien des dix grammes et Mirko ne comptait sans doute pas sur de pareils aspirateurs.

Victoria entraîne Mirko dans une chambre et lui explique que si Dieu a créé la coke, c'est pour qu'elle soit également partagée entre toutes ses brebis. Et j'entends celui-ci hurler : «No coke anymore, now, partouze everywhere !»

Je hausse les épaules et décide de visiter, je passe dans une autre pièce et marche sur quelque chose... C'est Lydie que je n'avais pas vue car la pièce est plongée dans l'obscurité, elle gît sur le parquet verni, tel un tas de merde échoué là par hasard... Mon talon qui s'enfonce dans sa cheville, ce doit être la goutte qui fait déborder le vase, car au moment où je m'apprête à bafouiller des excuses, un cri suraigu transperce mes tympans déjà cruellement éprouvés au Queen, aussitôt suivis d'une cascade de hoquets rauques. La pauvre fille lève vers moi un visage de Parque, les rigoles creusées par ses débordements lacrymaux dans son maquillage trop lourd la rendent grotesque, on dirait un clown malheureux.

— VOUS VOULEZ TOUS ME TUER !

Je la laisse à sa parano et je continue d'avancer, j'entre dans une salle de bains.

Le jacuzzi est en marche, mais il n'y a personne dedans, je m'assois sur les lavabos, dos à la glace et je balance mes jambes dans le vide.

J'achèverai cette nuit seule.

Je l'ai entr'aperçu ce soir. Un instant. L'instant où il quittait cette boîte de merde où je ne suis allée que pour le voir. J'étais venue lui dire je t'aime, juste je t'aime et reviens ? Je l'ai vu, j'ai voulu courir vers lui... Mais son dos qui s'éloignait avait quelque chose de fatal. Je suis restée clouée sur place, avec ma coupe de champagne qui tremblait dans ma main, et j'ai laissé partir un rêve en me disant que ça valait mieux pour lui.

Je suis hantée par notre dernière entrevue. L'impression d'avoir commis quelque chose d'irréparable.

Demi-jour, clair-obscur, tout sentiment proscrit. Mes vêtements gisent épars autour du lit. De l'oreiller émanent des effluves de parfums, qui ne lui appartiennent pas. S'y mêlent les confidences de l'importun, on fait l'amour sans joie. Dans l'obscurité froide, il se livre, je me tais. Intimité d'une heure, demain évaporée, tout comme les volutes de cette cigarette d'après la volupté, dont le bout rougeoyant éclaire à peine la pitoyable scène d'un amour mué en haine. Bruit de fond, un homme, une femme se chantent leur passion que nous salissons, de notre malencontreuse union, à faire l'amour sans âme. Courageux mensonges qui me tuent, prononcés sur ce lit qui vit naître notre bonheur perdu. Dehors et dedans, c'est l'ombre et la nuit, je me donne le rôle d'une garce finie, je veux que son cœur saigne. Il part ; la tête haute, et moi, j'ai le cœur blême. Dans Paris endormi, le bruit de mes larmes seul retentit, qui pleurent l'inconstance de ma vie… mon désespoir… désespoir constant pour quelques instants de joie…

Andrea…

Un cœur tendre qui hait le néant vaste et noir…
Du passé lumineux recueille tout vestige…

La musique se tait, et soudain, du salon d'où fusent des cris confus, s'élève la chanson n° 9 de la BO de *Cruel Intention*, hymne des premiers temps, d'un amour dont je n'avais pas encore fait une victime. Je pense à lui sereine, lui intrigué, attiré, la magie du premier baiser à travers mes larmes prophétiques. Je pense à l'étincelle qui brille dans ses yeux, sa voix, sa moue d'enfant, ses colères toujours maîtrisées ; je ne suis plus en sursis dans cette suite avec tous ces gens défoncés, attendant de réintégrer mon lit, et mon chagrin, je suis dans mon salon, il y a un an, et je lis l'empathie dans les yeux d'Andrea, fasciné par cette musique dont les tristes échos prévoyaient notre fin.

Le violon frémit comme un cœur qu'on afflige.
La lumière s'éteint.
Le soleil s'est noyé dans son sang qui se fige.
C'est Julian qui vient d'entrer dans la pièce et

s'approche de moi. Il me prend dans ses bras, et je pense à d'autres bras. Où es-tu, mon amour ? Est-ce que tu dors comme un bébé dans ton grand lit tout blanc ? Ou comme moi, y a-t-il des bras qui t'enserrent et dont tu ne peux te dégager, une bouche qui recherche la tienne, un souffle dans lequel tu tentes de retrouver le mien ? Tu fermes les yeux et tu penses à moi. Ton visage contre le mien, tes cils effleurant mon front. Je reconstitue tes traits à l'aveuglette en les caressant doucement. Ton nez. Tes yeux. Ta bouche. Ta bouche… Nos lèvres qui se touchent en un baiser indicible. De plus en plus vite, de plus en plus fort. Tu me portes et m'emmènes. J'ai les yeux fermés, mais ça ne me gêne pas pour arracher les boutons de ta chemise en m'y cassant les ongles. C'est comme à chaque fois… Je renverse la tête en arrière et je ris, je ris de joie, de bonheur d'être avec toi, contre toi. Nos jambes entrelacées, tes lèvres brûlant mon cou. Une main dans tes cheveux, l'autre qui s'attaque à ta ceinture et qui l'envoie voler à l'autre bout de la pièce, avec le reste. Je suis pressée et toi aussi. Des contorsions sans nom pour me débarrasser de mon jean sans cesser de t'embrasser. J'ai l'impression que, si je te perds un instant, je te perds pour toujours. « Je t'aime » crient mes muscles tendus dans les efforts que je fais pour que tu atteignes la jouissance suprême. Je te possède entièrement, et je suis à toi, et je suis heureuse.

J'ouvre les yeux. Le visage de Julian, haletant à deux centimètres du mien. Ses mains sur moi. Je suis assise sur le rebord du jacuzzi, il est debout.

— Dégage ! Dégage !

C'est moi qui ai crié.

Il ne comprend pas. Ramasse ses fringues et disparaît en refermant la porte derrière lui. Je suis à poil sur ce jacuzzi de merde. Je vois l'aube poindre derrière les stores baissés. Mon rêve brisé me remplit la gorge, explose en larmes brûlantes. Je ne sais pas combien de temps je vais rester là, à pleurer en silence, à contempler mon désespoir. J'attrape le caillou dans la poche de mon jean, il me faut quelque chose pour l'éclater. A côté du lavabo, il y a une espèce de bistouri. Je n'ai qu'à allonger la main. Mes doigts se referment sur la lame aiguisée, le manche est épais. Je pose le caillou et je le broie de toutes mes forces. Il éclate. Cette poudre blanche qui ne veut rien dire. La douleur desserre mes doigts crispés, l'instrument tombe sur le sol avec un bruit de métal. Je me suis entaillé la paume, j'ai le sang aussi rouge qu'une robe Valentino. Il coule et dessine une arabesque écarlate le long de mon avant-bras. Un soleil rouge souille ma drogue immaculée. J'y vois comme un symbole. Pas de paille. Un plein tiroir de billets verts. J'en roule un délicatement. On a tant de fois tapé ensemble. C'est un peu comme si j'étais avec lui. J'introduis la paille dans ma narine gauche, puis dans ma narine droite. Puis dans ma narine gauche… Je prends tout. Tout… Avec un peu de chance, j'en crèverai. Je me rassois. Une seconde. Une seconde pendant laquelle je me sens si bien. Une seule. La satiété. L'oubli. Je lève la tête. Le miroir en face de moi. Cette fille aux yeux hagards, abandonnée sur un jacuzzi, un billet chiffonné à la main, des traces de coke sur le menton, les cheveux épars… Et mes larmes qui n'ont pas cessé de couler. La fille se lève, enfile un jean, boucle une ceinture cloutée, se rhabille, allume une cigarette. Elle vacille sur ses jambes mal assurées. Elle quitte la pièce.

Je traverse la chambre, Lydie, toujours à la même place, s'est endormie. On dirait une gosse. Des cris de jouissance. Victoria… et Chris. Ou Mirko. J'ouvre la porte de l'autre chambre. Les deux.

Mon sac est resté dans le salon. Je le prends. Et ma chanson qui continue de tourner. Ma gorge est de marbre et de métal. Mes pas sur le parquet font un bruit monstrueux. La porte claque, et l'ascenseur est là. Le hall, la réception, la porte, je suis dehors. Personne. Je cherche un taxi. Pas de taxi. L'aube est glacée. Mon portable sonne. J'ai un message. Que peut bien me vouloir Gabrielle à cette heure-ci ? Une angoisse sourde m'étreint la gorge. Mes doigts engourdis par le froid ne parviennent pas à appuyer sur cette putain de touche. Le message défile enfin. Une phrase. Une seule. Je la lis. Je la relis. J'ai trop pleuré, je ne peux plus.

Je m'effondre. Place Vendôme à sept heures du matin. Une fille à genoux qui mord sa main ensanglantée. Et qui hurle. Qui hurle une plainte incohérente. Comme si le désespoir avait pris forme. La forme d'un cri. Je crie la fin d'un rêve, je crie la fin du monde. Je crie la fin de l'homme que j'aime et qui s'est planté comme un con, en sortant de boîte, dans sa caisse à cinq cent mille balles qui n'a même pas été foutue de le préserver. Mort sur le coup. Mort. Je crie l'atroce réalité de cette vie de merde qui donne, et qui reprend. Je crie ce qu'on a vécu, ce qu'on aurait pu vivre encore. Je crie ce qu'il est. Etait. Ce qu'il aurait pu devenir. Je crie ma détresse, ma douleur, mon amour, mon amour, mon amour…

Ton souvenir en moi luit comme un ostensoir.

CHAPITRE 13

L'humanité souffre. Le monde est une vaste plaine après un carnage, jonchée d'agonisants qui râlent et qui se tordent. Les hommes, « les gens » déambulent, anonymes, et dissimulent une plaie béante sous leurs airs impassibles.

Le bonheur... L'homme n'en entrevoit que des apparences, celles qu'essaie de lui donner le voisin. Mais n'enragez pas du bonheur du voisin. Il est pédophile, héroïnomane et schizophrène. Et par-dessus tout, il enrage de l'image d'harmonie absolue que vous et votre famille lui offrez en permanence. Il ignore que votre femme vous bat et que vos enfants ne sont pas de vous.

Le bonheur est une illusion d'optique, deux miroirs qui se renvoient la même image à l'infini. N'essayez pas de remonter à l'image d'origine, il n'y en a pas.

Ne dites pas que le bonheur est éphémère. Le bonheur n'est pas éphémère. Le sentiment ressenti et pris pour le bonheur quand on est amoureux, quand on a réussi quelque chose, c'est le sursis avant de comprendre l'erreur : l'être aimé ne ressemble à rien, ce que vous avez réussi ne rime à rien. Cela ne vous rend pas malheureux, mais conscient. Le bonheur ne se finit pas, il se rectifie.

Nous avons inventé la lumière pour nier l'obscurité. Nous avons mis les étoiles dans le ciel, nous avons planté des réverbères tous les deux mètres dans les rues. Et des lampes dans nos maisons. Eteignez les étoiles et contemplez le ciel. Que voyez-vous ? Rien. Vous êtes en face de l'infini que votre esprit limité ne peut pas concevoir et vous ne voyez plus rien. Et cela vous angoisse. C'est angoissant d'être en face de l'infini. Rassurez-vous ; vos yeux s'arrêteront toujours sur les étoiles qui obstruent leur vision et n'iront pas plus loin. Aussi ignorez-vous le vide qu'elles dissimulent.

Eteignez la lumière et ouvrez grands les yeux. Vous ne voyez rien.

Que l'obscurité, que vous percevez plutôt que vous ne la voyez. L'obscurité n'est pas hors de vous, l'obscurité est en vous.

Je porte la malédiction de la lucidité. Les yeux de mon esprit sont grands ouverts sur la vie et contemplent le vide.

Et pourtant luisait en moi l'étincelle moqueuse d'un espoir indéfini, qui par instants me faisait oublier le goût amer de la moelle pourrie du monde, petite étincelle ténue, seule barrière entre moi et l'autodestruction.

Bien que vouée aux affres du pessimisme, aux abîmes de la vérité, je vivais.

Je vis encore.

Pourquoi ? Je ne sais pas. Chaque matin, je me dégage des bras enchanteurs de Morphée, pétrifiée à l'idée de ces heures interminables qui s'égrèneront lentement jusqu'à ce que je puisse me replonger dans l'oubli bienfaisant d'un nouveau sommeil.

Comme il faut bien passer le temps et s'empêcher de penser, je m'occupe. Le plus futilement possible. La superficialité est l'unique panacée à ma déprime latente. Et je la brandis au-dessus de ma tête pour chasser mes idées opaques, j'en fais un art de vivre.

J'ai dix-huit ans et je porte des Prada. Je suis une fille branchée. Je traîne ma carcasse amorphe de café mondain en café mondain, je dîne tous les soirs dans un de ces restaus nouvelle vague qui pullulent rue Marbeuf et environs, la world food me fait gerber. Mon assiette repart en cuisine, je n'y ai pas touché.

Et puis je sors. Les boîtes me donnent la nausée, pire que la world food.

Quand je fais mes mondanités, les haut-le-cœur de mon esprit me font vaciller sur mes jambes. Et je ne peux pas m'en passer. Arrêter de sortir... c'est comme arrêter de fumer.

A quatorze ans, je suis rentrée dans une boîte, et je n'en suis jamais ressortie. J'ai été happée dans l'engrenage infernal de la Nuit.

Sans rémission possible.

Je suis une toxicomane de l'excès. Camée à la house, et au clinquant.

Mondaine forcenée. Malsaine désespérée. Alcoolique et cocaïnée.

Je suis entraînée chaque soir vers mon vice comme un ivrogne vers sa bouteille, comme un joueur qui va taper le carton.

J'ai noyé mes illusions dans des flots de champagne, je les ai inhumées sous des montagnes de coke, ma vertu s'est disloquée de bras en bras, de lit en lit…

Le revers de la médaille du rêve… Les coulisses de la fête… Je crache à la gueule de ce monde, mais il me possède entièrement. Et c'est la seule façon…

Je n'arrêterai pas de sortir. Qu'est-ce que je ferais de ma garde-robe Gucci ?

De mes vingt paires de mules Prada, de mes vingt paires de bottes Sergio Rossi ? De mes robes de pute ? Comptez pas sur moi pour les revendre au profit d'une œuvre de charité. Y a pas marqué Elton John. Je n'ai pas besoin de me donner bonne conscience, j'en ai pas.

Pourtant, je suis bien, chez moi. Je traîne en peignoir toute la journée, dans l'atmosphère viciée par les montagnes de clopes que je fume, je n'ouvre jamais la fenêtre. Je préfère crever asphyxiée que crever de froid. Je ne bouffe rien, je n'ai pas faim. Pour me soutenir, je prends des Di-Antalvic, plus de gueule de bois, plus de courbatures, plus de migraine, pour me réveiller, je prends de la coke, plus de fatigue, plus de déprime. Les jours passent ainsi depuis trois mois. J'aime mon visage en ce moment ; mes joues sont creuses, mes yeux ne brillent plus et sont dévorés par les cernes, mes lèvres sont incolores et ne savent plus sourire. Seuls mes cheveux sont restés les mêmes, longs, bruns et magnifiques, comme s'ils avaient absorbé toute la vie qui était en moi. Je suis maigre et si pâle sous les UV… Mais j'aime cette apparence ectoplasmique, je suis l'allégorie de ma propre déprime, l'incarnation du laisser-aller et du désespoir.

L'homme que j'aimais est mort il y a trois mois.

Tant bien que mal, avant j'aimais la vie, parce qu'on l'avait en commun.

Avant, j'aimais la vie, même sachant tout ce que je savais, car dans l'immensité du vide il était là qui souriait.

Aujourd'hui, je chéris un fantôme, un souvenir. Je pense encore à lui chaque jour, chaque minute, chaque seconde… Absurde constance. J'ai beau vivre, si on peut appeler ça vivre, j'ai beau baiser, et sortir… Je pense encore à lui.

Je regarde les gens, leurs pas qui les emportent vers une finalité absente… Et au fond de moi-même, son image qui me hante.

Je le connaissais mieux que personne. On avait le même état d'esprit, on méprisait la platitude et la médiocrité, on était prisonniers du fric et ça nous rendait dingues, et on ne savait pas pourquoi on existait.

Maintenant qu'il n'est plus là, je sais pourquoi j'existais.

J'existais pour lui.

Je suis faible, et j'ai l'impression que mon corps se meurt lentement. Seul mon esprit plein de souvenirs est encore vivace. Je préfère ressasser le bienheureux passé que de me contenter de ce présent de merde.

Je n'oublierai pas ton visage, je n'oublierai jamais ta voix.

Je me morfonds dans ma douleur.

Pauvre con, tu ne pouvais pas rouler moins vite.

Je suis dans ma salle de bains et je peins sur mon visage les couleurs de la vie. Je manipule mécaniquement mon mascara Chanel et ma poudre Guerlain.

Je me prépare, ce soir je sors, comme hier et comme demain. Au Cabaret, au Queen, aux Bains, au rendez-vous des névrosés. Je n'y ai que des amis, entre tarés, on se comprend.

Je m'habille. Du noir, du cuir, de la couture. Sac Dior piqué à ma mère. Ma dégaine de pouffiasse me ravit. Une pouffiasse en deuil. Je suinte le fric et la vulgarité. Je me dégoûte. J'ai un flash en m'arrêtant devant la grande glace de l'entrée. Je me revois trois mois plus tôt, je partais tout lui avouer et je me suis regardée dans cette même glace, l'espoir au cœur, en me demandant si j'allais lui plaire ce soir-là, et si j'allais une fois encore finir cette nuit entre ses bras. Mais je n'ai pas fini la nuit entre ses bras, et lui cette nuit-là, il n'en a jamais vu la fin.

Mon taxi m'attend en bas. Je les commande à la G7, qui m'envoient des grosses Mercos, je noie ma lassitude sur les banquettes en cuir. Je traverse Paris. Un feu rouge au Troca. Des gens attendent un bus de nuit sur un banc misérable. Ces pauvres gens qui font des kilomètres pour venir arpenter les beaux quartiers et grappiller quelques images de notre opulence, comme des rats dans une maison de riches. Ils marchent dans nos rues impersonnelles, dans nos belles avenues sans jamais pénétrer chez nous, dans nos apparts, dans nos restaus, dans nos boîtes. *Ne rentre pas trop tard, surtout ne prends pas froid…* Ils sont comme la petite marchande d'allumettes…

Le feu passe au vert, et le taxi démarre. Ma cellule capitonnée roule doucement, sans aucun cahot, et m'emporte inéluctablement retrouver ma vie de sybarite. J'arrive au Cab. Il y a tout le monde. Comme d'habitude. Il y a toujours tout le monde. J'enclenche le pilotage automatique pour aller dire bonjour. Je fais mon numéro de fille insouciante et entourée. Je danse les yeux clos. Je me laisse porter par la musique, et les vapeurs de l'alcool. A ma table, on s'empresse de me resservir dès que mon verre se vide. Vodka. Vodka. Vodka. Je bois comme un trou. Tous les soirs depuis deux ans. Alors je tiens l'alcool comme un vieux viveur de cinquante ans. Ils me donnent à boire parce qu'ils veulent me baiser, mais je réponds toujours de mes actes. Même à quatre pattes par terre en train de vomir, je garde conscience de tout. Ils ont essayé de me filer de la coke, la mienne est meilleure que la leur.

Il est trois heures, l'heure d'aller au Queen. Le Queen, c'est ce que je préfère. Dans le carré, on monopolise la table centrale. On est quarante, debout sur les tabourets, entassés les uns sur les autres, accrochés au filet, si l'un d'entre nous tombe, tout le monde tombe. L'alcool coule à flots, on renverse les verres, les bouteilles, on tape sur les tables, on saute, on danse, on se fait des grands sourires et plein de bisous parce qu'on s'aime, mais si la musique était moins forte, on n'aurait pas grand-chose à se dire.

Je suis ivre morte, et je danse sur un tabouret, d'insidieuses mains remontent le long de mes jambes, se glissent sous mon bustier, là où ma peau est nue, ça ne me dérange plus.

Mon jeu, c'est de martyriser les putes. Je les inonde de champagne, je piétine leurs affaires, je crame leurs fringues avec ma clope, je les pousse, je les bouscule, je les insulte. Elles me détestent, mais elles ne peuvent rien contre moi.

Quand elles se plaignent, j'ouvre de grands yeux innocents, je proteste, indignée, et elles finissent par se faire virer pour avoir osé m'accuser. Il n'y a pas de petite victoire… Je sens l'anxiété qui monte en moi, la crise imminente… *Tu fais de ta vie un calvaire…* Je me sens lamentable quand je me rends compte que je fixe l'entrée du carré en m'attendant à le voir débarquer. Je sais qu'il ne viendra pas, mais je ne peux pas m'empêcher de l'attendre. Et je hais chaque personne dans cette boîte de merde de ne pas être lui. Je me lève, j'allume une cigarette. Je ne me suis pas rendu compte que j'en avais déjà une dans la main. Je descends sur la piste. Je cherche un mec. N'importe lequel. Un inconnu, un étranger. La boîte est bondée et j'ai l'impression d'être seule au monde. Seule. Au milieu de la piste du Queen. Lui. Il n'est pas trop mal. J'espère qu'il n'est pas pédé, je n'ai pas envie de rentrer bredouille. Ce qu'il fait beauf avec son jean moulant et son torse nu, je n'ose même pas regarder ses chaussures. Qu'importe. Je marche droit sur lui. Je me plante devant lui. Ses copains ricanent. Je me fous tellement de leur opinion, ces ignobles tarlouzes même pas dans le carré. Je le regarde par en dessous… Je lui tends ma coupe de champagne… Sans un mot, il la porte à ses lèvres… Un faisceau de lumière bleue est braqué sur moi. Ma bouche s'incurve en un sourire diabolique.

Mes yeux ne sourient pas. Je me hausse sur la pointe des pieds, il se penche.

La coupe vide tombe par terre. Je l'écrase d'un coup de talon. Elle explose pendant que j'embrasse à pleine bouche ce visage anonyme. Il me demande mon prénom. Il me donne le sien. Je n'écoute pas.

Je le prends par la main. Il me suit sans chercher à comprendre.

Il n'y a plus personne dans le carré et la marée humaine a laissé place aux vestiges crasseux d'une orgie désespérée. Deux ou trois paumés s'agitent encore grotesquement, seuls, face à un partenaire imaginaire, et j'aperçois le néant dans leurs pupilles dilatées. Je récupère mon sac Dior abandonné sur une banquette, et entraîne l'inconnu. Les videurs me font des clins d'œil, ils s'amusent de me voir partir avec un beauf pareil. Dans le taxi, c'est torride, et horrible. Je commence à le branler. Je n'ai qu'une envie, c'est qu'il éjacule sur les banquettes en cuir. A priori, il lui en faut plus. Je n'ai pas si mal choisi.

C'est moi qui paye le taxi, j'en éprouve une joie malsaine. Je le déshabille dans l'ascenseur. Je déchire sa chemise en espérant que c'est sa préférée. Il est trop surpris par sa bonne fortune pour esquisser la moindre protestation. Il crispe ses doigts sur ma chair souffrante. Sous ma jupe, il n'y a rien. J'introduis la clef dans la serrure. Je l'entraîne dans la bibliothèque. C'est ma pièce préférée. Je le pousse sur un fauteuil en cuir. J'arrache mon bustier. Je suis complètement nue. Je m'attaque à son jean que j'envoie voler dans la cheminée. Il bande, l'imbécile. Je l'enfourche d'un seul coup, les jambes de part et d'autre du fauteuil, je veux dominer. Je ramasse sa chemise qui traîne par terre, je fais semblant de jouer avec, et je lui mets sur la tête. Je ne veux pas subir la vision apocalyptique de ce pitoyable rictus de jouissance, de ces yeux exorbités, de cette bouche béante. Je vais et je viens, c'est moi qui fais tout le boulot. Je dégage ses mains qui tentent d'explorer mon corps, qui caressent mes cheveux, et je les maintiens derrière le dossier du fauteuil. Je ne veux que sa bite. Pour le traumatiser complètement, je saisis la télécommande sur la table basse. Dans la chaîne, il y a *La Traviata*. Je mets le son à fond, je n'ai pas envie d'entendre ses gémissements. Ce n'est pas assez sale. J'ai besoin de me souiller, de me faire mal, de me blesser de manière irréversible. Je veux n'être plus capable de me regarder dans une glace. Je lui demande de me faire ce qu'il fait à ses petits copains du Queen. Il se soumet, il a peur de moi. Je me retourne, mes cheveux se détachent et roulent sur mes reins trempés de sueur, pendant qu'il déflore brutalement tout ce qui restait de vierge en moi. Je suis maintenant entièrement corrompue. Je sens l'orgasme monter par vagues successives, mon être baigne tout entier dans cette souffrance jouissive, c'est un orgasme triste. Sur mon visage, un masque de douleur est figé à jamais.

Je le pousse. Il échoue sur le fauteuil avec un râle de plaisir, et il éjacule partout. Sur le tapis, sur la table basse, sur lui-même surtout, et sa pitoyable nudité maculée par le jet de sa propre saleté me donne envie de hurler de dégoût. J'attrape une cigarette que j'allume avec un Dupont en or qui lui fait ouvrir de grands yeux. Il regarde autour de lui. Le plafond immense, le lustre, les objets d'art, les tableaux, les rayons couverts de livres reliés. Si ma vue ne lui plaît pas, qu'il contemple les murs ! Son regard revient à la maîtresse des lieux qui reprend son souffle, abandonnée sur le canapé, et disperse les regrets de sa pureté perdue, en même temps que la fumée grisâtre de sa cigarette d'après l'indignité. J'ignore sa présence. Ce n'est même pas de la provocation, je m'en fous. Je fixe la nuit par la fenêtre. Il tente d'engager la conversation.

— C'est chez tes parents, ici ?

— Oui.

— Ils sont où, tes parents ?

— En Normandie. Tu peux éviter de me poser des questions, s'il te plaît, je ne crois pas que je suis là pour te faire la conversation.

— On va se coucher, alors ?

Ce rustre a cru qu'il allait poser sa tête sur mon oreiller et se blottir dans mes draps propres.

— Je t'appelle un taxi, t'habites où ?

Il reste sans voix. Je jouis de son air hébété. J'en rajoute.

— T'en fais pas si t'habites loin, c'est la société de mon père qui paye.

Il encaisse l'insulte. Il doit être gentil car il a l'air plus peiné qu'en colère.

— Pourquoi tu m'as ramené ici ?

J'allume une autre cigarette. Sans un mot, je sors un sachet de coke de nulle part. Je me fais une ligne sur la main, que je tape sans paille entre deux bouffées. Je veux être au mieux de ma forme pour remettre cette tare à sa place.

— Ecoute mon petit, je ne vais pas t'expliquer la vie. T'as quel âge, vingt ans, vingt-cinq ans ? Et tu t'étonnes ? Ça doit faire quelques années que tu sors, tu sais comment ça fonctionne. Je te ramasse sur la piste du Queen à six heures du mat. Tu crois que c'est pour te ramener à mes parents et que tu me fasses des enfants ? On n'est pas du même monde, chéri. Ce soir, j'avais envie de me faire sauter comme une pute. T'as rempli ton office. Et c'est pas parce qu'on a baisé

153

qu'on va être copains. Je ne sais même pas comment tu t'appelles et, à vrai dire, je ne veux pas le savoir. Alors maintenant, tu te rhabilles, tu prends tes affaires et tu te casses. T'as gagné une partie de jambes en l'air, et ton taxi. Que demander de plus ? Tu veux des clopes, de la coke, du fric ? Prends ce que tu veux et dégage. Je veux être seule, tu comprends, seule.

Il me fixe, incrédule.

Pendant ce temps, j'ai attrapé le téléphone. Mon père a un compte à la G7. Ce con peut aller se coucher dans l'Essonne si ça lui chante. Mais qu'il dégage. Je commande le taxi.

— T'as sept minutes. Fais pas cette gueule. Tu écoutes le plus bel opéra du monde. *La Traviata*, ça te dit quelque chose ? Verdi ? Non ? Inspiré de *La Dame aux camélias*. Tu veux que je te raconte l'histoire ? T'auras appris quelque chose, tu te sentiras moins con en t'endormant tout à l'heure.

Il ne répond pas.

— C'est très simple. Alfredo aime Violetta. Violetta aime Alfredo. C'est l'amour, la passion, le truc de ouf. Mais Violetta est courtisane. Ça veut dire pute de luxe. Violetta est pute de luxe, et elle sait pertinemment qu'Alfredo n'a pas les moyens de l'entretenir. Et comme elle ne veut pas le ruiner, elle tente de sortir de sa vie. Grosse engueulade, on se réconcilie dans les larmes et on décide de ne plus se quitter. Seulement c'est au tour du père d'Alfredo de foutre la merde. Il demande à Violetta de foutre la paix à son fils parce que leur commerce coupable entache la bonne réputation de la famille. Violetta, décidément prête à tous les sacrifices, met tout en œuvre pour détacher d'elle son amoureux transi. Et elle y réussit si bien que celui-ci, véner comme pas deux, lui fait tant de misères qu'elle finit par en crever. De ça, et de la tuberculose aussi. Parce qu'elle est tuberculeuse, comme toute bonne héroïne romantique. Voilà. Une belle histoire d'amour. Brisée par la mort. C'est triste, hein ?

— Oui, c'est triste.

— La suite, on la connaît pas. On sait pas ce que devient Alfredo, après. On sait pas s'il réussit à oublier Violetta. Comment il fait pour supporter la vie alors que celle qu'il aime est morte. Si ça se trouve, vingt ans plus tard, Alfredo est marié et modeste père de famille, sa vue baisse, une légère calvitie s'annonce et quand le nom de Violetta émerge de la nébuleuse embrouillée de ses souvenirs, il l'associe à une de ses frasques de jeunesse, dûment expiée depuis et il ne sait même plus si son ex-Dulcinée est morte ou simplement partie. Si ça se trouve Alfredo est fou ? Si ça se trouve, Alfredo est mort de chagrin ?

« Mais non. Moi je la connais la suite. Alfredo va au Queen tous les soirs. Il noie sa douleur dans la vodka. Il boit comme un trou et finit tous les soirs à quatre pattes. Et il pense à celle qu'il a perdue.

« Alfredo a découvert la coke et il s'en met plein le nez vingt-quatre heures sur vingt-quatre. Et il pense à celle qu'il a perdue. Alfredo ne sait plus pleurer. Parce que pleurer ça soulage, et qu'il ne veut pas être soulagé. Violetta est perdue pour toujours et Alfredo se venge sur d'autres pétasses, sur des connes sans intérêt de la mort de celle qu'il aimait. Il les baise, il les pervertit et il les fait souffrir. Il aimerait bien les tuer, mais il n'en a pas le courage. Il aimerait bien se tuer surtout, se foutre en l'air. Puisqu'il n'a plus aucune raison de vivre. Mais il n'en a pas le courage non plus. Il est lâche, c'est un misérable lâche. Il n'est pas capable de quitter cette existence abominable, il préfère la vivre le plus mal possible. Alfredo est alcoolique, drogué et suicidaire. Oh, il ne faut pas s'en faire pour lui. Il ne tardera pas à crever, lui aussi. D'une overdose, d'un accident de voiture, d'un coup de couteau dans une ruelle, d'une maladie incurable... Il retrouvera le sourire juste pour dire adieu. Maintenant, casse-toi, ton taxi doit être en bas.

Je le raccompagne à la porte. Il bafouille deux ou trois mots, sa compassion me fait horreur. Je lui claque la porte au nez.

Le calme. La solitude, enfin. J'ai enfilé un peignoir et je retourne dans la bibliothèque m'affaler sur mon canapé profané. Je reste immobile, devant ma cheminée où ne brûle aucun feu, je fume clope sur clope. Mes yeux fixes sont tournés vers l'intérieur, vers la lueur éteinte d'un passé révolu, vers les images dorées d'un bonheur rectifié.

N'attendez pas de chute à cette histoire, il n'y en a pas. Il est mort et plus rien n'a de sens pour moi. J'envisage l'avenir comme une éternité de souffrances et d'ennui. Ma lâcheté m'empêche de mettre fin à mes jours. Je continuerai à sortir, à taper, à boire et à persécuter des cons.

Jusqu'à ce que j'en crève.

L'humanité souffre. Et je souffre avec elle.

Les chansons citées sont *Avec le temps* (copyright Barclay) et *La Vie d'artiste* (Editions Méridian), de Léo Ferré.

Citation extraite du *Bleu du ciel* de Georges Bataille, Editions Gallimard.

Chapitre 12, les vers cités sont extraits du poème *Harmonie du soir* de Charles Baudelaire.

Composition réalisée par Chesteroc Ltd

IMPRIMÉ EN ESPAGNE PAR LIBERDÚPLEX
Barcelone
Dépôt légal Éditeur : 49746 - 08/2004
Édition 02
LIBRAIRIE GÉNÉRALE FRANÇAISE - 31, rue de Fleurus - 75006 Paris
ISBN : 2 - 253 - 06693 - 1